COMUNICARE SUBITO

CORSO D'ITALIANO PER STRANIERI

RITA LUZI CATIZONE
GIORGIO PIVA
CHRISTOPHER HUMPHRIS

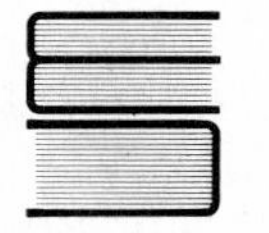

EDIZIONI DILIT

Gli autori:

Rita Luzi Catizone ha 11 anni di esperienza nell'insegnamento dell'italiano come lingua straniera e 4 anni di esperienza nell'addestramento di insegnanti di lingua. Già Direttrice degli Studi alla DI.L.IT. International House, Roma, è adesso direttrice del Dipartimento di Ricerca della stessa scuola. E' caporedattrice del Bollettino che lo stesso Dipartimento di Ricerca diffonde.

Giorgio Piva ha 9 anni di esperienza nell'insegnamento dell'italiano come lingua straniera. Attualmente è addestratore di insegnanti di lingua e Direttore degli Studi alla DI.L.IT International House.

Christopher Humphris ha 13 anni di esperienza nell'insegnamento dell'inglese come lingua straniera e 8 anni di esperienza nell'addestramento di insegnanti di lingua. Ricercatore metodologico alla DI.L.IT. International House, Roma, è laureato in pedagogia alla Università di Londra ed è titolare del Diploma RSA per l'insegnamento dell'inglese come lingua straniera. E' autore di articoli vari in materia.

ISBN 88-85055-06-0

Via Magenta, 5 - Roma - Italia
Fotografie di Fabio Ferrazzi e Giovanni Pulignano
Grafica e disegni: Makoto Izawa
Prima ristampa: Tipar Poligrafica Editrice - Roma 1984

Ringraziamo, per averci gentilmente concesso l'autorizzazione a fotografare, i signori: Claude Frank direttore dell'«Hotel Villa delle Rose», nonché Angelo Albanese e M. Antonietta Dominici; Armando Lanzetta titolare dell'omonima farmacia e M. Teresa Lanzetta; Giuseppe Silvestri titolare della «Casa del Regalo» ed Elena Silvestri; Maurizio Mariani titolare della trattoria «Gemma e Maurizio»; Orlando Gagni titolare del negozio di abbigliamento «L'Alibi», nonché Claudia Petrella.

Un ringraziamento particolare per la loro preziosa collaborazione agli amici e colleghi Pietro Catizone, Stefano Urbani, Cristina Lacagnina, Giancarlo Romano, Franco Piva, Giovanna Maggiorelli, Gino Cortellacci. E ancora, Leonardo Fodaro, Carmen Bianchi, Bruno Giuliani, Enrico, Luisa Guerrini, Nanni, Fabio.

COMUNICARE SUBITO è stato sperimentato presso l'istituto DI.L.IT.-INTERNATIONAL HOUSE di Roma.

indice

 **Hai notato .....?**

 **Riassunto grammaticale**

 **Test**

La **traduzione** del testo che nel libro compare su fondo grigio (tranne i titoli delle Unità) si trova nel libretto che è parte integrante di questo libro.

1ª unità PRENDERE UNA STANZA IN ALBERGO

ATTIVITÀ 1

Per poter capire bene persone italiane che parlano fra loro in modo naturale, è molto importante che tu venga a contatto e acquisisca esperienza della lingua italiana parlata autentica. Frequentemente in questo corso (ogni volta che vedrai questo simbolo) ti verrà chiesto di ascoltare delle registrazioni di conversazioni tra italiani che si esprimono in maniera completamente normale e naturale. Ovviamente all'inizio capirai ben poco, ma andando avanti con il corso ti accorgerai di capire sempre di più. Questo corso differisce da corsi tradizionali proprio perché sei tu che misuri e controlli i tuoi progressi, misurando quanto capisci e osservando di capire di più ogni volta che ascolti. La difficoltà del materiale non è controllata dall'insegnante ed è sempre massima perché si tratta di lingua autentica.

Vediamo adesso la prima conversazione. Eccone in breve il contenuto: Il Signor Marchetti entra in un albergo dove ha prenotato una stanza 20 giorni fa. C'è stato un equivoco per quanto riguarda il tipo di stanza. Infatti il signor Marchetti ha prenotato una stanza con bagno e l'albergo gli ha assegnato, invece, una stanza senza bagno. Trovano una soluzione: il signor Marchetti accetta di occupare la stanza senza bagno per una notte e di prendere domani quella con bagno.

Fra poco ascolterai diverse volte la registrazione di questa conversazione. Al primo ascolto non capirai quasi niente. Bada bene che non diciamo *niente,* **ma** *quasi niente.* **In altri termini capirai** *qualche cosa* **(forse una parola, o un nome, o ancora l'atteggiamento emotivo dei due personaggi, o altro). Su questo** *qualche cosa* **è necessario costruire. Tieni sempre presente che le nostre registrazioni sono conversazioni** *autentiche;* **perciò sei in grado, con la tua logica e la tua esperienza della comunicazione (anche se solo nella tua lingua), di fare molte ipotesi, deduzioni, previsioni, con lo stimolo di questo** *qualche cosa,* **sul contenuto della conversazione. Applicati con la mente e la fantasia alla risoluzione del** *problema.* **Fa' ragionamenti del genere:** *Poiché qualcuno ha detto 'alle sette e mezza', che è un orario di mattina, forse sta chiedendo di essere svegliato a quell'ora.* **Questa o altre ipotesi ti porteranno, ascoltando la conversazione la seconda volta, a capire di più. Capire di più, a sua volta, stimolerà in te nuove e più esatte deduzioni, previsioni ed ipotesi, che ti aiuteranno poi a comprendere ancora di più ascoltando la terza volta, e così via. Ogni ipotesi ti porterà a farne altre e procedendo così ti 'contestualizzerai' progressivamente. Vedrai come la tua comprensione aumenterà altrettanto progressivamente ad ogni ascolto successivo.**
Ci raccomandiamo: **non ci sono strade più rapide per migliorare la tua capacità di capire la lingua parlata.** *Più ti applicherai all'ascolto della lingua autentica, più progresso farai.*

1. Ogni volta che senti una delle parole scritte sotto, metti una croce accanto alla parola stessa, in questo modo:

buongiorno XX .... stanza ....

Marchetti .... no ....

sì .... senta ....

bagno .... rumorosa ....

2. Completa le frasi:

a) La stanza è prenotata per .... giorni.

b) Il numero della stanza è ....

3. Scrivi altre parole che riesci a capire:

....

....

....

....

....

....

....

ATTIVITÀ 2

Lavora con un compagno.
Leggete questa conversazione incompleta e cercate di costruire la parte mancante servendovi delle indicazioni a lato. L'insegnante vi aiuterà. Ricordate che si tratta di una conversazione *reale*. Pensate a che cosa direste voi se vi trovaste nella situazione, a quali tempi verbali usereste, a quanto sareste formali, a quali parole usereste, ecc.. Usate l'italiano che in un modo o nell'altro avete imparato o letto o sentito da qualche parte. Più riuscirete a *calarvi* nella situazione, più facile sarà capire e imparare la lingua della conversazione originale registrata sulla cassetta. Dovreste ascoltare questa registrazione in un secondo momento. (Questa contiene inoltre la lingua da praticare negli esercizi successivi).
Poi, con l'aiuto della versione registrata o dell'insegnante, ripetete ogni enunciato molte volte, ponendo attenzione al ritmo e all'intonazione.
Poi mettete la conversazione in scena, cercando di fare una rappresentazione *convincente*. Cercate di memorizzare quanto potete.

Saluta.	SIGNOR MARCHETTI:	....
	RECEPTIONIST:	**Buongiorno.**
Indica che sta per parlare, dà una informazione e si presenta	SIGNOR MARCHETTI:	....
	RECEPTIONIST:	**Come, scusi?**
Ripete il suo nome.	SIGNOR MARCHETTI:	....
	RECEPTIONIST:	**Marchetti. Attenda un momento.... Non trovo nessun signor Marchetti prenotato.**
***Esprime sorpresa* (ripetendo ciò che ha detto l'altro). *Riferisce una cosa* che giustifica la sorpresa.**	SIGNOR MARCHETTI:	....
	RECEPTIONIST:	**Quando?**
Risponde alla domanda (20 giorni).	SIGNOR MARCHETTI:	....

ATTIVITÀ 3

ESERCIZIO

Scrivi una lista di cognomi.
Lavora con un compagno. Assumi il ruolo del cliente e il compagno assumerà quello del receptionist. Ripetete tante volte le prime 5 battute della conversazione dell'attività 2 usando un cognome diverso ogni volta. A turno scambiatevi i ruoli.

ATTIVITÀ 4

ESERCIZIO

Ripeti parecchie volte e cerca di memorizzare quanto puoi:

un giorno (1)
due giorni (2)
tre giorni (3)
quattro giorni (4)
cinque giorni (5)
sei giorni (6)
sette giorni
otto giorni
nove giorni
dieci giorni

undici giorni
dodici giorni
tredici giorni
quattordici giorni
quindici giorni
sedici giorni
diciassette giorni
diciotto giorni
diciannove giorni
venti giorni

ATTIVITÀ 5

GIOCO

"SCASSAQUINDICI„.

Gioca con un compagno. Disponetevi uno di fronte all'altro tenendo, ognuno, un pugno chiuso davanti. Dite: Pronti, attenti, via! **Alla parola** via **dovete aprire immediatamente un certo numero di dita e nello stesso tempo dire un numero tra 1 e 10. Se il numero che uno di voi ha detto corrisponde alla somma delle dita aperte da tutti e due, chi l'ha detto guadagna un punto. Vince chi raggiunge per primo 15 punti.**

ATTIVITÀ 6

ESERCIZIO

Lavora con un compagno.
Servitevi della lista di cognomi che avete fatto per l'attività 3. Ripetete le ultime 4 battute della conversazione dell'attività 2 cambiando ogni volta:

il cognome,
il titolo [*signor* **(maschile),** *signorina* **(femminile non sposata),** *signora* **(femminile sposata)],**
il numero di giorni.

Badate bene: l'aggettivo *prenotato* **diventa** *prenotata* **al femminile;**
nessun **diventa** *nessuna* **al femminile;**
lo **diventa** *la* **al femminile.**

ATTIVITÀ 7

L'italiano scritto differisce in certe particolarità da quello parlato. Ci sono, cioè, certe convenzioni di uso della grammatica e del lessico che variano da quelle della lingua parlata. Per riuscire a capire bene l'italiano scritto è importante che tu abbia esperienza della lingua scritta *autentica.* **Quindi spesso, durante questo corso, sarai invitato a** *guardare* **tali brani. Queste attività di lettura (quelle contrassegnate da questo simbolo:) hanno quindi lo scopo di farti capire sempre più la lingua scritta e di portarti a leggere rapidamente capendo il** *succo* **del testo. Bada bene che non dovresti preoccuparti minimamente se ci sono tante singole parole che non capisci: si tratta di saper capire** *al volo* **il senso** *generale* **di ogni brano. Vedrai che più spesso lo fai, più diventa facile.**
Una nota importante: quando diciamo *leggere* **non intendiamo** *leggere ad alta voce. Leggere* **implica l'uso degli occhi e della mente (pensa, ad esempio, come tu leggi una rivista nella tua lingua); la pronuncia non c'entra affatto. Se pronunci le parole svilupperai un'abitudine negativa che rallenterà il tuo progresso per quanto riguarda** *capire* **il più rapidamente possibile.**
Ci raccomandiamo: **leggi** *rapidamente* **e leggi** *molte volte.* **Vedrai che, come per le attività di ascolto, ogni successiva lettura dello stesso brano ti porterà a capire di più.**

Montesilvano Lido
Grand Eurhotel (2ª cat.)
L'hotel, di nuova costruzione, sorge a pochi metri dalla spiaggia confinante col giardino privato, a poco più di un chilometro dal centro di Montesilvano.
È costituito da camere doppie con soggiorno e da appartamenti composti da una camera matrimoniale, un soggiorno con 2-3 posti letto e 1 solo servizio privato. Sono entrambi dotati di servizi privati, telefono, frigobar, terrazza panoramica, aria condizionata e televisore su richiesta.
Servizi ed attrezzature: ristorante self-service, bar, american-bar e sala soggiorno.
Giardino, solarium e parcheggio.
I servizi a mare sono compresi nel prezzo.
Nelle vicinanze possibilità di seguire corsi di vela, nuoto, sci nautico

Metti una croce nella casella VERO **o** FALSO **a seconda dei casi.**

	VERO	FALSO
Ci sono camere singole	☐	☑
C'è un ristorante	☑	☐
Quest'albergo è di 1ª categoria	☐	☑
E' vicino al mare	☑	☐

ATTIVITÀ 8

Segui le istruzioni all'inizio dell'attività 2.

Indica che sta per parlare. **Chiede la sveglia.**	SIGNOR MARCHETTI:	....
		....
	RECEPTIONIST:	**Certo. A che ora?**
Risponde alla domanda.	SIGNOR MARCHETTI:	....
	RECEPTIONIST:	(scrivendo) **Alle sette e mezza, stanza 85. Perfetto.**
Chiede un'informazione.	SIGNOR MARCHETTI:	....
		....
	RECEPTIONIST:	**La cena è dalle 19,30 alle 21,30.**
Esprime soddisfazione e ringrazia.	SIGNOR MARCHETTI:	....
	RECEPTIONIST:	**Prego.**
Saluta.	SIGNOR MARCHETTI:	....
	RECEPTIONIST:	**Arrivederla.**

ATTIVITÀ 9

ESERCIZIO

Lavora con un compagno. Ripetete molte volte le prime 4 battute della conversazione variando gli orari scegliendoli fra quelli segnati dagli orologi raffigurati nella pagina.

Esempio:

- Senta, è possibile avere la sveglia domattina?
- Certo. A che ora?
- Alle sei e mezza. **(06,30)**
- Alle sei e mezza. Perfetto.

Chi esercita la seconda e la quarta battuta non dovrebbe guardare il libro mentre parla e alla quarta battuta dovrebbe anche scrivere l'orario (es.: 06,30) mentre lo dice. Scambiatevi i ruoli.

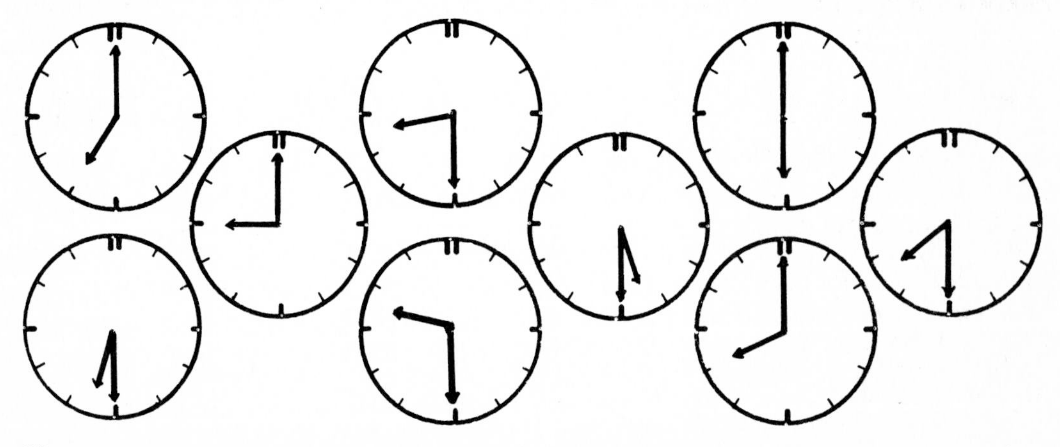

ATTIVITÀ 10

Lavora come per l'attività 7.

Milano, 14.10.19....

Spett. le Albergo "Giglio"
Viale Monte Bianco, 121
00195 Roma

Prego gentilmente di volermi riservare una stanza singola con bagno per il periodo dal 7 al 15 dicembre c.a.

Gradirei, se possibile, una stanza ai piani alti o che non desse sulla strada.

In attesa di una sollecita conferma, vogliate gradire i miei più distinti saluti.

Mario Proietti

Mario Proietti
Via Boccaccio, 16
20100 Milano
Tel. 02/4576123

	VERO	FALSO
a) Mario Proietti desidera una stanza con bagno	☐	☐
b) Mario Proietti vuole vedere la strada dalla sua stanza	☐	☐

ATTIVITÀ 11

LETTURA INTENSIVA

Osserva bene com'è scritta questa lettera. *Spett.le* **vuol dire** *Spettabile* **e si scrive davanti al nome dell'organizzazione a cui si manda la lettera. Fa' attenzione all'ultima frase della lettera. Rispondi alle seguenti domande:**

a) Chi ha scritto la lettera? ....

b) Qual è il suo indirizzo? ....

c) A chi scrive? ....

d) Dove e quando ha scritto la lettera? ....

ATTIVITÀ 12

Qui sotto c'è una lettera che è scomposta nelle sue varie parti. *Riscrivi* la lettera mettendo le parti nell'ordine giusto. Cerca di rispettare l'impaginazione convenzionale. La lettera dell'attività 10 ti può aiutare.

Sperando di ricevere al più
presto una conferma, ringrazio
anticipatamente.

Anna Paolini.

Spett.le Hotel Indarno
Via Delle Pale, 81
50100 FIRENZE

Preferibilmente le camere do=
vrebbero essere adiacenti e, se
possibile, comunicanti.

Anna Paolini
Via Tronto,
00195 ROMA
Tel: 4336279

Vorrei prenotare due camere doppie
senza bagno per dieci giorni a par=
tire dal 10/7 c.a.

Roma, 14/5/19...

Distinti saluti.

ATTIVITÀ 13

ESERCIZIO

Lavora con un compagno. Ripetete molte volte le due battute:

– A che ora è la cena stasera?
– La cena è dalle .... alle ....

variando la seconda con gli orari riportati sotto. Scambiatevi i ruoli.

18,30 – 20,30	19,30 – 21,30
19,00 – 21,00	20,00 – 22,00
18,30 – 21,00	19,00 – 21,30
20,30 – 22,30	19,00 – 20,30

ATTIVITÀ 14

Lavora come nell'attività 1. Ascolta parecchie volte la registrazione e scrivi tutte le parole che riesci a capire:

HAI NOTATO ....?

.... l'**ARTICOLO DETERMINATIVO** femminile singolare:

la sveglia
la prenotazione
la cena

.... l'**ARTICOLO INDETERMINATIVO** singolare:

MASCHILE	FEMMINILE
un momento	**una** stanza

.... come l'**AGGETTIVO** si accorda con il sostantivo:

MASCHILE	FEMMINILE
nessun signor Marchetti	**nessuna** signora Marchetti
signor Marchetti **prenotato**	una stanza **prenotata**

.... il **PRESENTE INDICATIVO:**

1ª PERSONA SINGOLARE		3ª PERSONA SINGOLARE
mi chiamo	(chiamarsi)	**è** (essere)
trovo	(trovare)	* **trova** (trovare)
ho	(avere)	

* La terza persona singolare si usa anche, come in questo caso, per rivolgersi alla persona a cui si parla; si usa, cioè, come seconda persona (tranne che in rapporti confidenziali).

.... il **PASSATO PROSSIMO:**

ho fatto (fare) (1ª persona singolare)

.... l'**IMPERATIVO:**

senta (sentire) **scusi** (scusare)
attenda (attendere)

.... la **FORMA NEGATIVA:**

non trovo
come **non** lo trova?

.... il **PRONOME DIRETTO** maschile singolare:

come non **lo** trova? **("lo"** sta per "nessun signor Marchetti prenotato")

.... l'uso del **PRONOME SOGGETTO** come rafforzativo:

io ho fatto .....

LESSICO

buongiorno	grazie	giorno	domattina
arriverderla	benissimo	come?	fa

2ª unità

OTTENERE INFORMAZIONI STRADALI

La signorina della foto sopra, trovandosi in difficoltà nel raggiungere una strada, chiede informazioni ad un signore. Nel chiedere chiarimenti la signorina si accorge che stanno parlando di due strade diverse ma con il nome simile. Chiarito l'equivoco, il signore, con l'intervento di un amico, le fornisce le giuste indicazioni.

ATTIVITÀ 1

Lavora come ti è stato consigliato per l'attività 1 della 1ª Unità. Ascolta molte volte la registrazione e:

1. Completa queste frasi:

a) Il nome della prima strada è ....

b) Il nome della seconda strada è ....

2. Ogni volta che senti una delle parole scritte sotto metti una croce accanto alla parola stessa.

vada	ho capito	senta ....
destra	chiesa	sì ....

3. Scrivi altre parole che riesci a capire.

....

ATTIVITÀ 2

Lavora con un compagno come ti è stato consigliato nell'attività 2 della 1ª Unità. Segui *solo* le istruzioni che riguardano la costruzione della parte mancante della conversazione. (Il lavoro orale sarà trattato più avanti).

Attira l'attenzione del signore.	SIGNORINA:	....
	SIGNORE:	**Sì?**
Chiede dove si trova una strada (Via della Luce).	SIGNORINA:	....
	SIGNORE:	**Dunque. Via della Luce.... Guardi, vada dritto; poi giri alla seconda a destra. Vada avanti; al primo semaforo giri a sinistra. Poi vada ancora avanti. A un certo punto trova una piazza. La attraversi; continui sempre dritto e la prima traversa che trova è Via della Luce.**
Esprime disappunto per la quantità elevata delle informazioni.	SIGNORINA:	....
	SIGNORE:	**Glielo ripeto.**
Accetta e *ringrazia*.	SIGNORINA:	....

ATTIVITÀ 3

LETTURA INTENSIVA

Guarda bene la quarta battuta della conversazione dell'attività 2 (in cui il signore dà le informazioni stradali). Ci sono 5 verbi all'imperativo e 2 all'indicativo presente. Elencali qui sotto e scrivi fra le parentesi l'infinito di ognuno.

IMPERATIVO	INDICATIVO PRESENTE
.... ( )	.... ( )
.... ( )	.... ( )
.... ( )	
.... ( )	
.... ( )	

Assicurati di capire le parole importanti. Guarda i disegni qui sotto:

vada avanti
vada dritto

giri a
sinistra

giri a
destra

piazza

la prima (traversa)
a sinistra

la seconda (traversa)
a destra

semaforo

ATTIVITÀ 4

Ripeti oralmente la quarta battuta con l'aiuto dell'insegnante e/o della registrazione.

ATTIVITÀ 5

ESERCIZIO

Lavora con un compagno. Vi trovate nel punto indicato dalla freccia. Dagli le informazioni stradali per raggiungere le strade segnate sulle piantine. Aiutati con le frasi scritte sotto ogni gruppo di piantine. Scambiatevi i ruoli. *Badate bene:* **parlate; non scrivete.**

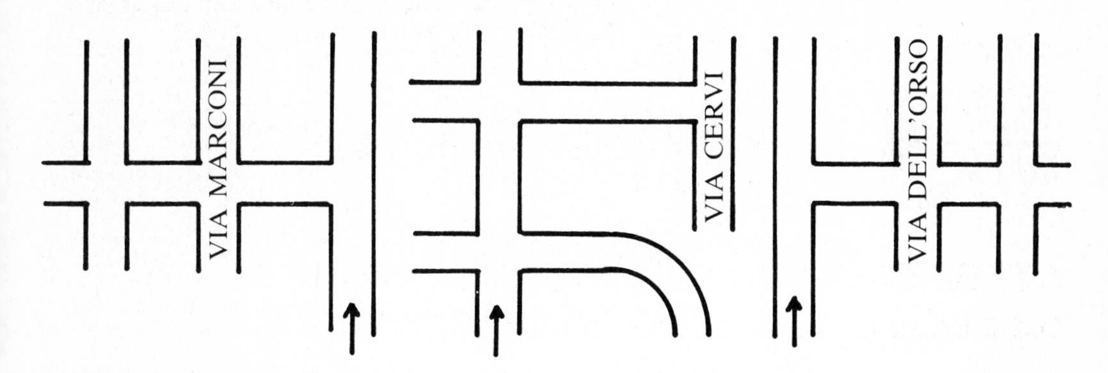

Vada dritto; .... e la prima traversa che trova è ....

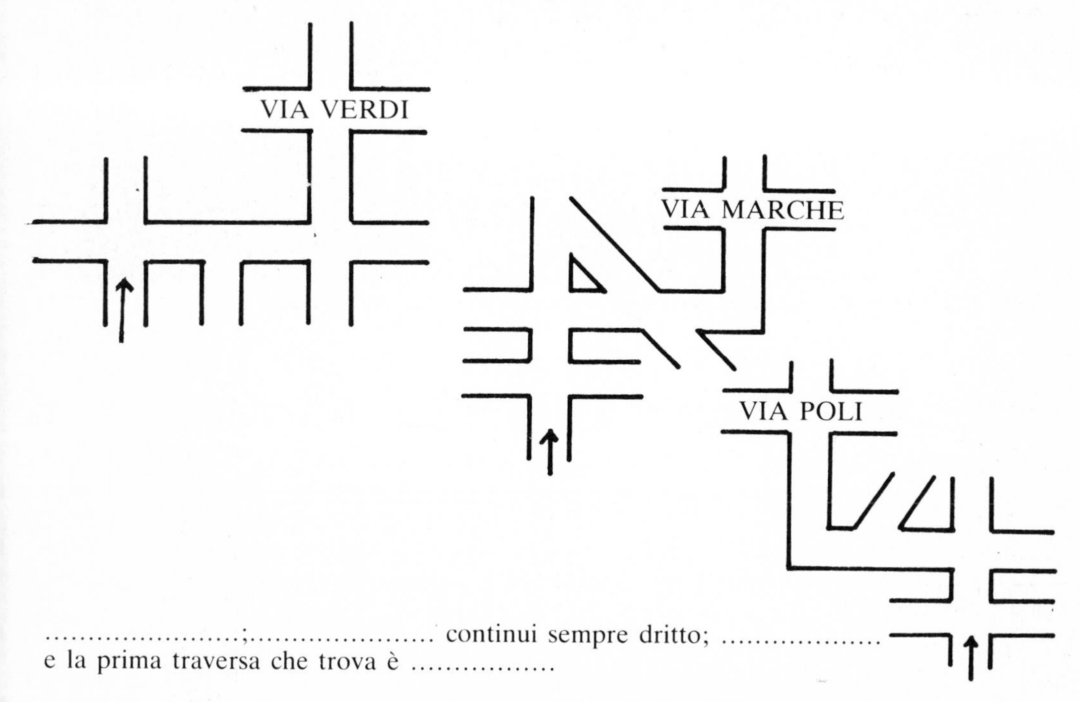

.......................;..................... continui sempre dritto; ....
e la prima traversa che trova è ....

ATTIVITÀ 6

Quello che vedi sotto è un estratto dello stradario 'Tutto Città'. 'Tutto Città' viene consegnato insieme agli elenchi telefonici. Leggi le indicazioni relative alle vie o piazze elencate sotto. Cercale sulla piantina a fianco e quando le trovi anneriscile con una penna.

COLONNA (Piazza) da v. del Corso a p. di Montecitorio. R. Colonna. C.A.P. 00187. **Tav. 2 - C4.**

CONDOTTI (Via) - da p. di Spagna al lg. Carlo Goldoni. R. Campo Marzio. C.A.P. 00187. **Tav. 2 - C3.**

QUIRINALE (Piazza del) - da v. del Quirinale a v. XXIV Maggio. R. Trevi e Monti. C.A.P. 00187. **Tavv. 1 - B1; 2 - D4.**

S. SILVESTRO (Piazza di) - da p. di S. Claudio a v. della Mercede. R. Colonna e Trevi. C.A.P. 00187. **Tav. 2 - C4.**

SISTINA (Via) - da p. Barberini a p. della Trinità dei Monti. R. Colonna e Campo Marzio. C.A.P. 00187. **Tav. 2 - C3.**

SPAGNA (Piazza di) - da v. dei Due Macelli a v. del Babuino. R. Colonna e Campo Marzio. C.A.P. 00187. **Tav. 2 - C3.**

TRITONE (Via del) - da p. di S. Claudio a p. Barberini. R. Colonna e Trevi. C.A.P. 00187. **Tav. 2 - C4.**

VITTORIO VENETO (Via) - da p. Barberini a Porta Pinciana. R. Ludovisi e Colonna. C.A.P. 00187. **Tav. 2 - D3.**

Tav. 2 - Centro storico:

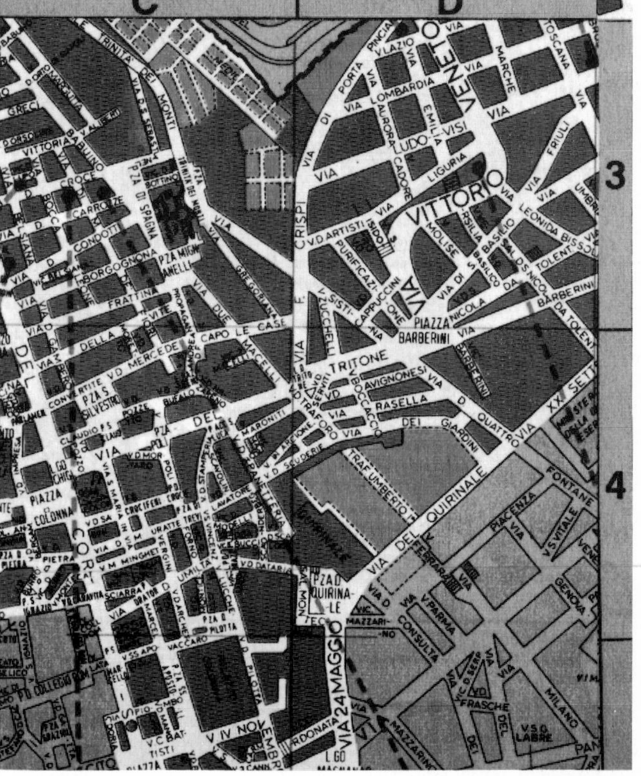

ATTIVITÀ 7

Lavora con un compagno.
Con l'aiuto della registrazione o dell'insegnante ripetete molte volte ogni enunciato della conversazione dell'attività 2, ponendo attenzione al ritmo e all'intonazione.

Poi mettete la conversazione in scena, cercando di fare un pezzo di teatro *convincente.*
Cercate di memorizzare quanto potete.

ATTIVITÀ 8

ESERCIZIO

Lavora con un compagno come per l'attività 5.

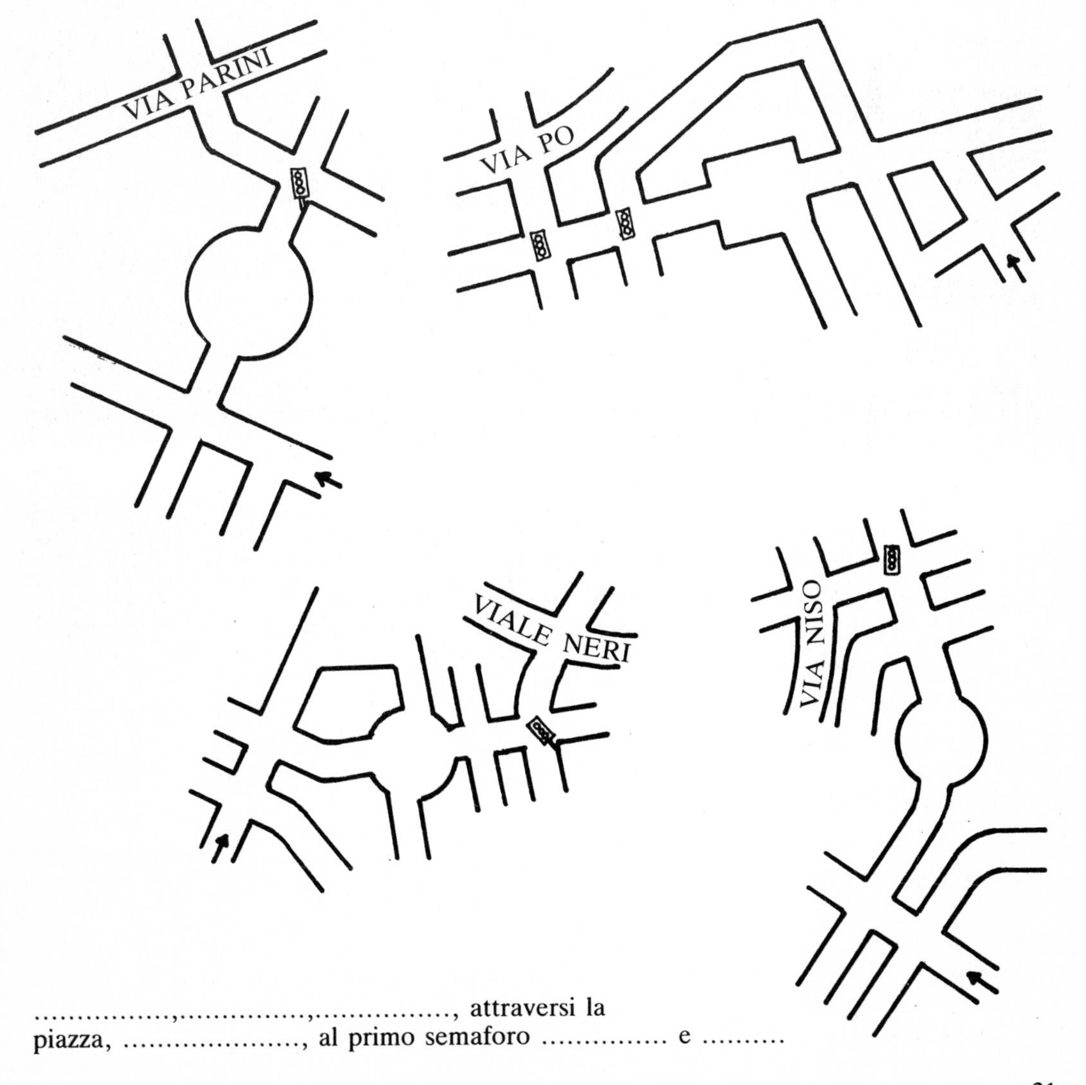

..............., ..., ..., attraversi la piazza, ..., al primo semaforo .... e ....

ATTIVITÀ 9

DETTATO

Lavora con un compagno. Ascoltate parecchie volte la registrazione cercando di completare questa conversazione. Ad ogni gruppo di puntini corrisponde una parola.

SIGNORINA: **E' da queste parti?**

SIGNORE: ... ... **E' sempre da queste parti. Anzi, è ancora più semplice.**
SIGNORINA: **Ah! Bene.**

SIGNORE: **Allora,** ...., ...

Però .... **terza** ....

e .... **traversa** .... **vicolo della Luce.**

ATTIVITÀ 10

Un amico di tuo padre verrà a trovarti. Sa il tuo indirizzo ma non sa arrivarci. Vuole venire dalla stazione a piedi. In una lettera che gli scrivi gli devi spiegare come farlo. Scrivi le informazioni sul tuo quaderno. Inizia così:

Esca dalla porta centrale della stazione. Poi ....

ATTIVITÀ 11

Ascolta parecchie volte la conversazione registrata e scrivi sulla piantina sotto il nome della strada nominata e la posizione del Teatro delle Arti.

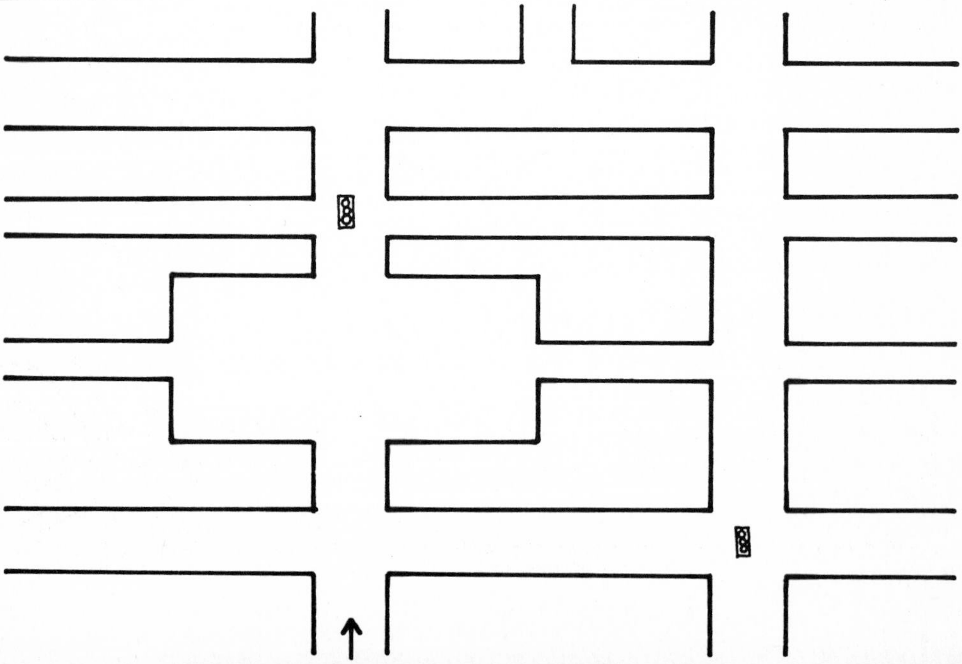

ATTIVITÀ 12

GIOCO

a) Ecco una lista di nomi di strade. Assegnali a piacere alle strade della piantina sottostante e scrivili sulla piantina stessa. Il compagno con cui giocherai dopo non deve vedere questo tuo lavoro.

Via Nazionale – Viale Manzoni – Via Gramsci – Via Cavour
Vicolo dei Cinque – Corso Vittorio Emanuele – Viale Cristoforo Colombo
Viale Palmiro Togliatti – Via Garibaldi – Viale Regina Margherita

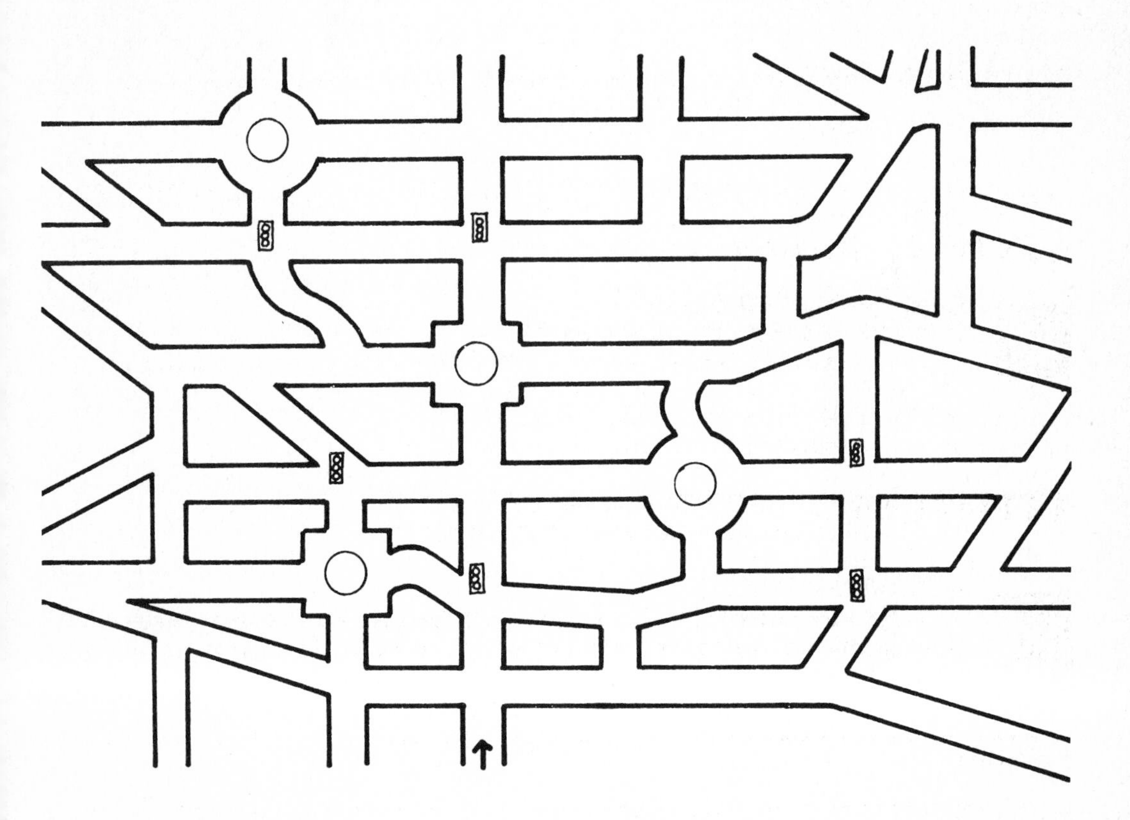

b) Adesso, con un compagno, chiedete informazioni a turno in questo modo:

– Senta, scusi.
– Sì?
– Per cortesia, mi può dire dov'è ....?
– Dunque, ... Guardi, vada diritto; poi ....

Seguendo le informazioni del tuo compagno, una volta trovata la strada, scrivici il nome. Se ti trovi in difficoltà o non capisci le informazioni, interrompilo dicendo: "Come, scusi?"

Quando avrete finito confrontate le piantine per assicurarvi di aver capito bene.

HAI NOTATO ....?

.... **che** l'**IMPERATIVO** dei verbi regolari (per i rapporti formali) termina in "**-a**" o in "**-i**". Questa differenza corrisponde alla differenza dell'infinito:

senta (sentire)	**giri** (girare)
attenda (attendere)	**continui** (continuare)
	scusi (scusare)
	guardi (guardare)
	attraversi (attraversare)

Alcuni verbi hanno forme irregolari:

vada (andare)
esca (uscire)

.... che il verbo 'potere' è irregolare nel **PRESENTE INDICATIVO:**

3ª PERSONA SINGOLARE
può

.... che in certi casi la **FORMA INTERROGATIVA** differisce da quella affermativa soltanto per l'intonazione:

mi può dire ....?

.... il **PRONOME INDIRETTO:**

1ª PERSONA SINGOLARE
mi

.... l'**ELISIONE** nella parola **'dove'** prima di **"è":**

dov'è

.... il **PRONOME DIRETTO** femminile singolare:

La attraversi (**'la'** sta per "la piazza")

.... la **PREPOSIZIONE "a":**

alla seconda	(con l'articolo determinativo singolare femm. **'la'**)
al primo semaforo	(con l'articolo determinativo singolare masch. **'il'**)
a destra	(senza articolo determinativo)

LESSICO

per cortesia
dove
oddio
un po'
lungo

ripetere
potere
dire

sempre dritto
da queste parti
dunque
avanti

3ª unità FARE SPESE IN TABACCHERIA

Un signore va in tabaccheria e compra delle cose.

ATTIVITÀ 1

Lavora come ti è stato consigliato nell'attività 1 della 1ª Unità. Ascolta molte volte la registrazione e lavora come ti sarà spiegato sotto.

A. Ecco nell'ordine sbagliato le cose che compra:

Della carta e delle buste da lettera. ☐
Una stecca di sigarette "MS". ☐
Una pipa. ☐
Un francobollo. ☐

Mettile nell'ordine giusto scrivendo il numero nella casella.

B. Parlando di prezzi dicono 17 numeri diversi. Eccoli in ordine sbagliato. Riscrivili nell'ordine in cui vengono detti.

30 1.000 50 7.000 48 500 80 70 49 100.000 150
40 6.000 47 6 5 2

ATTIVITÀ 2

Lavora come ti è stato consigliato nell'attività 2 della 1ª Unità.

Saluta.	SIGNORE: ....
	TABACCAIA: **Buongiorno.**
***Richiede qualcosa* (una stecca di sigarette MS).**	SIGNORE: ....
	....
	TABACCAIA: **Sì.**
***Ringrazia. Indica che sta per parlare di nuovo e richiede una cosa* (carta, buste da lettera).**	SIGNORE: ....
	....
	....
	TABACCAIA: **Sì.**
***Chiede informazioni* sui francobolli (per un espresso all'estero).**	SIGNORE: ....
	....
	TABACCAIA: **Per quale paese?**
Risponde alla domanda (Grecia).	SIGNORE: ....
	TABACCAIA: **Allora uno da cinquecentocinquanta (550) lire.**

ATTIVITÀ 3

ESERCIZIO

Ripeti molte volte e cerca di memorizzare quanto puoi:

L. 20	(venti lire)	L. 150	(centocinquanta lire)
L. 30	(trenta lire)	L. 200	(duecento lire)
L. 40	(quaranta lire)	L. 250	(duecentocinquanta lire)
L. 50	(cinquanta lire)	L. 300	(trecento lire)
L. 60	(sessanta lire)	L. 350	(trecentocinquanta lire)
L. 70	(settanta lire)	L. 400	(quattrocento lire)
L. 80	(ottanta lire)	L. 450	(quattrocentocinquanta lire)
L. 90	(novanta lire)	L. 500	(cinquecento lire)
L. 100	(cento lire)	L. 550	(cinquecentocinquanta lire)

ATTIVITÀ 4

GIOCO

Giocate in gruppi. All'inizio ognuno ha a disposizione 10 punti. Il gioco consiste nel contare da 1 a 50. Il primo del gruppo dice uno, **il secondo** due **e così via. Ogni volta che si arriva ad una cifra che contiene il numero 7 o ad un multiplo di 7, la persona che dovrebbe dire questa cifra deve dire, invece,** BUM. **Se sbaglia, dicendo la cifra, perde un punto. Arrivati a contare fino a 50 ricominciate. Vince chi, dopo cinque volte, conserva il maggior numero di punti. Se qualcuno resta a zero punti prima della conclusione del gioco viene eliminato.**
Più il gioco sarà fatto velocemente più sarà divertente.

ATTIVITÀ 5

ESERCIZIO

Lavora con un compagno. Ripetete queste due battute sostituendo elementi diversi scelti dalle liste. Continuate scambiandovi i ruoli finché non vi diventerà facile.

– Per	un espresso	all'estero	che francobolli ci vogliono?
	una raccomandata	in Italia	
	una cartolina		
	una lettera		

– Uno da	550 lire.
	670 lire.
	220 lire.
	170 lire.

ATTIVITÀ 6

GIOCO

Giocate in squadre (ognuna di 4 persone circa). Lanciate una moneta per decidere quale squadra inizia. Poi il primo studente, servendosi dei numeri finora imparati, dà a voce all'altra squadra un'addizione da fare. Così: settanta più centocinquanta. **Il primo studente dell'altra squadra ha solo un minuto per dare la risposta corretta. Il gioco riguarda anche la** *comprensione* **dei numeri orali e quindi il minuto serve a:**
a) far ripetere l'addizione se non si capisce.
b) consultarsi con i compagni.
c) formulare in italiano la risposta.
d) tentare altre risposte se la prima è sbagliata.
Se entro un minuto viene data la risposta giusta la squadra guadagna un punto. Se no, chi ha fatto la domanda dà la risposta, nessun punto viene vinto e il gioco continua. Per alternare le domande da squadra a squadra chi ha risposto deve domandare. Il gioco continua finché l'insegnante non lo fermerà. Risulterà vincente la squadra con più punti al momento dell'interruzione.

ATTIVITÀ 7

Lavora come nell'attività 7 della 1ª Unità.
Leggi *rapidamente* **e** *molte volte* **questa cartolina.**

ROMA
Il Colosseo
The Colosseum
Le Colisée
Das Kolosseum

Roma 5-3-19...

Caro Sandro,
sono arrivata ieri mattina a Roma. E' la prima volta che ci vengo e, anche se ho fatto un semplice giro stamattina, mi sono resa conto che è una città veramente splendida. Resterò qui ancora due settimane. Sono poche per visitare Roma, ma mi accontento. Ti chiamerò appena tornata a Torino. Ciao.
A presto. Francesca

Riproduzione vietata

LIRE 120
REPVBBLICA ITALIANA

Signor
Sandro De Michele
Via A. Schivardi, 73
10100 Torino

513

da fotocolor Kodak Ektachrome

Metti una croce nelle caselle relative alle informazioni che ti sembrano giuste.

1. Il mittente è:
   a) un uomo ☐
   b) una donna ☐
2. E' nella città da:
   a) un giorno ☐
   b) una settimana ☐
   c) due settimane ☐
3. Resta nella città:
   a) dieci giorni ☐
   b) due settimane ☐
   c) un mese ☐

ATTIVITÀ 8

LETTURA INTENSIVA

Lavora con un compagno. Riguardate attentamente insieme la cartolina dell'attività 7. Fate un cerchio con la penna intorno a:

a) la città dove si trova il mittente.
b) la data di quando è stata scritta la cartolina.
c) la conclusione della cartolina.

Sottolineate i verbi e, eventualmente, cercate i loro significati sul vocabolario.

ATTIVITÀ 9

Immagina di essere in una città italiana da pochi giorni. Scrivi una cartolina ad un amico italiano della tua città utilizzando quella sottostante.

ROMA
Castel S. Angelo (notturno)
St. Angel Castle (by night)
Château St. Ange (la nuit)
Engelsburg (nachts)

riproduzione vietata

....

....

____

da fotocolor Kodak Ektachrome 613 ______________________

ATTIVITÀ 10

ESERCIZIO

Lavora con un compagno. Riprendete le prime sei battute della conversazione dell'attività 2 comprando le cose raggruppate sotto. Scambiatevi i ruoli.

francobollo da 220 lire pacchetto di MS	accendino delle cartoline	delle buste da lettera pipa di schiuma
accendino della carta da lettera	pipa stecca di MS	stecca di Marlboro francobollo da 550 lire

ATTIVITÀ 11

Lavora come ti è stato consigliato nell'attività 2 della 1ª Unità.

Chiede il prezzo.	SIGNORE: ....
	TABACCAIA: **Dunque... la stecca di MS seimila, il francobollo 550. Sono seimilacinquecentocinquanta** (6550). **C'è altro o basta?**
Risponde **(seconda alternativa). Si corregge (carta da lettera).**	SIGNORE: ....
	TABACCAIA: **Ah già. Dunque, sono seimilaseicentocinquanta** (6650).
Indica che le sta dando qualcosa.	SIGNORE: ....
	TABACCAIA: **Ha le 150 lire spicciole?**
Fa aspettare la tabaccaia. ***Risponde negativamente.***	SIGNORE: ....
	TABACCAIA: **Adesso vediamo... un attimo... ecco a lei.**
Ringrazia.	SIGNORE: ....
	TABACCAIA: **Prego.**
Saluta.	SIGNORE: ....
	TABACCAIA: **Buongiorno.**

ATTIVITÀ 12

ESERCIZIO

Ripeti molte volte e cerca di memorizzare quanto puoi:

L. 1.000 (mille lire)
L. 2.000 (duemila lire)
L. 3.000 (tremila lire)
L. 21.000 (ventunomila lire)
L. 22.000 (ventiduemila lire)
L. 23.000 (ventitremila lire)
L. 24.000 (ventiquattromila lire)
L. 30.000 (trentamila lire)
L. 46.000 (quarantaseimila lire)
L. 57.000 (cinquantasettemila lire)
L. 68.000 (sessantottomila lire)
L. 79.000 (settantanovemila lire)

ATTIVITÀ 13

ESERCIZIO

Chiedi all'insegnante o in banca qual è il valore di 1000 lire nella moneta del tuo paese. Poi scrivi accanto alle cose sottoelencate il loro valore in lire italiane.

La tua macchina (o quella di una persona che conosci) ....

La tua casa (o l'affitto) ....

Il tuo stipendio (o quello dei tuoi genitori) ....

I vestiti che indossi ....

Il tuo orologio (o quello di una persona che conosci) ....

Questo libro ....

La tua penna ....

Un disco ....

Il tuo televisore (o quello di una persona che conosci) ....

ATTIVITÀ 14

Una signora compra delle cose in tabaccheria. Una di queste è un accendino per suo marito. Ascolta la registrazione parecchie volte e fa' l'esercizio qui sotto.

1. La signora sceglie:
   a) un accendino a gas. ☐
   b) un accendino a benzina. ☐
2. Paga l'accendino L. ....
3. Il tabaccaio le regala come omaggio una ....
4. In più la signora compra: .... pacchetti di ....
   .... di minerva
   .... francobolli da ....

ATTIVITÀ 15

ESERCIZIO

Lavora con un compagno. Riprendete le prime quattro battute della conversazione dell'attività 11. Sostituite gli oggetti della conversazione con quelli disegnati e numerati qui sotto, seguendo lo schema numerico come nell'esempio (il terzo numero corrisponde all'oggetto della terza battuta).

Es.: 2,7...11 – Quant'è?
– Dunque... la stecca di MS 6.000, il pacchetto di Marlboro 800. Sono 6.800. C'è altro o basta?
– Basta. No, c'è anche il francobollo da 100.
– Ah già. Dunque, sono 6.900.

a) 3,6...8 **b)** 2,5...9 **c)** 1,4...12 **d)** 7,10...1 **e)** 8,3...11 **f)** 4,5...6 **g)** 2,7...1 **h)** 5,3...2 **i)** 12,9...10 **l)** 6,1...4 **m)** 11,8...7 **n)** 9,10...12 **o)** 10,2...3 **p)** 4,11...5 **q)** 6,8...7 **r)** 9,1...4 **s)** 3,12...8 **t)** 6,2...10 **u)** 11,5...9 **v)** 7,12...1

Continuate a piacere.

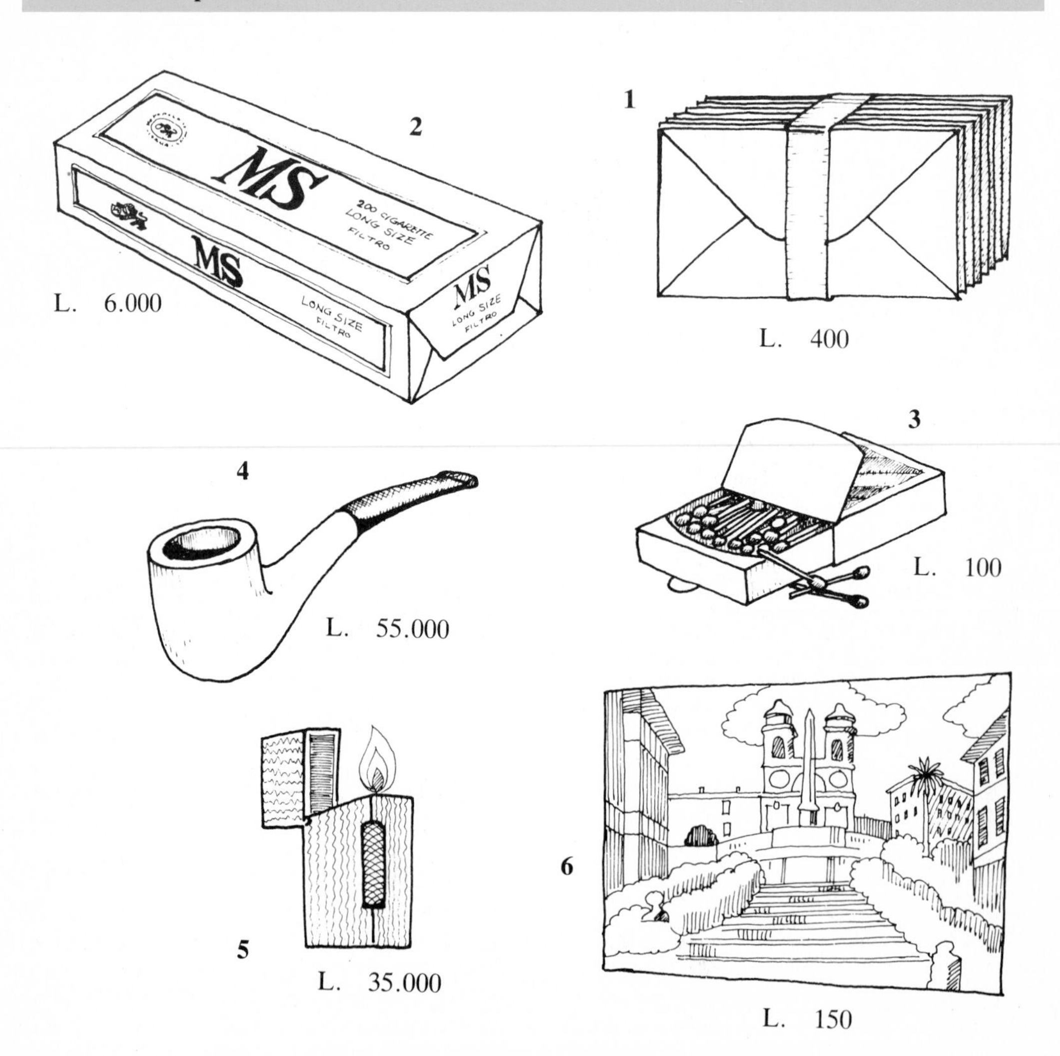

7

L. 1.000

8

9

10

11

12

HAI NOTATO ....?

.... la 1ª persona plurale del **PRESENTE INDICATIVO:**
vediamo (vedere)

.... la 3ª persona del **PRESENTE INDICATIVO:**

SINGOLARE	PLURALE
dà (dare)	**sono** (essere)
ha (avere)	**vogliono** (volere)
dispiace (dispiacere)	
basta (bastare)	

.... la 1ª persona singolare del **CONDIZIONALE PRESENTE:**
vorrei (volere)

.... l'**ARTICOLO DETERMINATIVO** maschile singolare:
il francobollo

.... l'**ARTICOLO DETERMINATIVO** femminile plurale:
le 150 lire spicciole

.... l'uso dell'**ARTICOLO DETERMINATIVO** davanti ai nomi di nazioni:
la Grecia

.... la terminazione al **PLURALE** di molti **SOSTANTIVI:**

MASCHILE	FEMMINILE
francobols**i**	bust**e**
	lir**e**

.... la terminazione al **PLURALE** di molti **AGGETTIVI** al femminile:
550 lire spicciol**e**

.... le **FORME ATTRIBUTIVE** introdotte dalla preposizione **"da"** in:
un francobollo **da 550 lire**
delle buste **da lettera**

.... la **PREPOSIZIONE** di specificazione **"di"** in:
una stecca **di** MS

.... l'uso della **PREPOSIZIONE "di"** con il significato di: 'un po' di'
della carta (con l'articolo determinativo femminile singolare **la)**
delle buste (con l'articolo determinativo femminile plurale **le)**

.... la **PREPOSIZIONE "a":**
all'estero (con l'articolo determinativo singolare **l'** che si usa davanti ai sostantivi inizianti per vocale)

.... la **PREPOSIZIONE "per"** (non si unisce con l'articolo):
per la Grecia

.... l'**ELISIONE** nelle parole **"ci"** e **"quanto"** prima di **"è":**
quant'è
c'è altro

4ª unità MANGIARE IN UN RISTORANTE

Tre amici sono seduti ad un tavolo di un ristorante. Leggono il menù. Chiedono al cameriere consigli e spiegazioni su alcuni piatti. Ordinano.

ATTIVITÀ 1

In questa e nelle due prossime pagine sono disegnati tutti i piatti nominati nella conversazione.
Lavora come ti è stato consigliato nell'attività 1 della 1ª Unità. Ascolta molte volte la registrazione e lavora come ti sarà spiegato sotto.

A. Indica i piatti scelti dai tre amici, mettendo una croce nella casella accanto al nome del piatto.

PENNE ALL'ARRABBIATA ☐ ORATA ☐ BISTECCA ☐

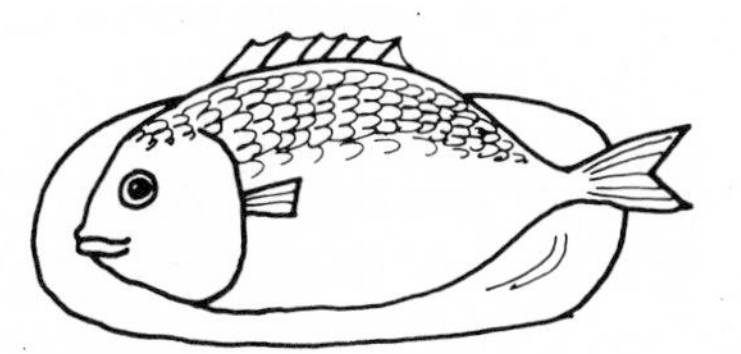

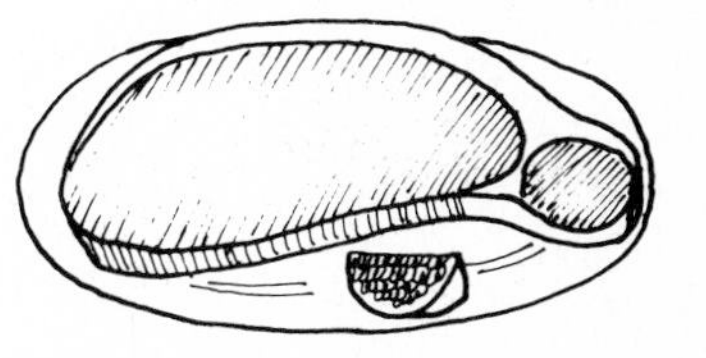

RAVIOLI □

CANNELLONI □

CARCIOFI ALLA ROMANA □

INSALATA VERDE □

MAZZANCOLLE □

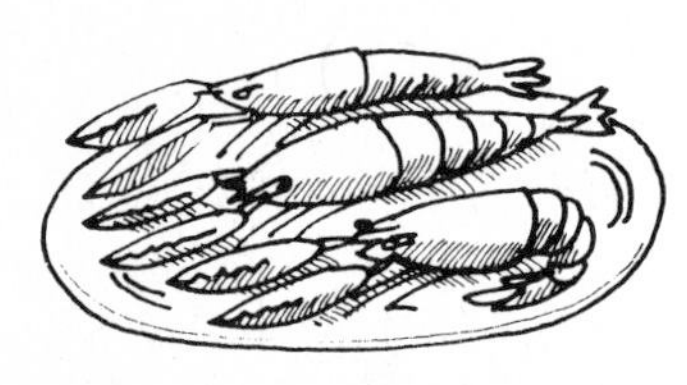

PATATE ARROSTO □

TONNARELLI ALLA PAPALINA □

RISOTTO AI FUNGHI □

SOGLIOLA □

LASAGNE □

FETTUCCINE BURRO E SUGO □

COTOLETTA ALLA BOLOGNESE □

SPAGHETTI AL POMODORO ☐

PAPPARDELLE
AL SUGO DI LEPRE ☐

SPIGOLA ☐

FRITTO DI PESCE ☐
(FRITTO MISTO)

FETTUCCINE ALLA BOLOGNESE ☐

SALTIMBOCCA ALLA ROMANA ☐

B. Il cameriere descrive tre piatti. Sotto ci sono le tre descrizioni e i tre piatti. Unisci con una linea ogni piatto alla sua descrizione.

E' una pasta all'uovo, come delle fettuccine sottili, con panna, funghi, piselli, pancetta.

Sono delle fettine di carne con prosciutto sopra e una foglia di salvia ..... con una salsa di limone.

Sono delle fettine di carne, fritte, con una fetta di mozzarella sopra e ripassate in una salsa di pomodoro.

COTOLETTE ALLA BOLOGNESE
TONNARELLI ALLA PAPALINA
SALTIMBOCCA ALLA ROMANA

C. Elenca sul tuo quaderno tutti i piatti nominati nella conversazione, sotto i titoli scritti a fondo pagina. Usa il vocabolario, se possibile, e memorizza quanto puoi.

PRIMI	SECONDI		CONTORNI
	Carne	Pesce	

ATTIVITÀ 2

Lavora come ti è stato consigliato nell'attività 2 della 1ª Unità.

Chiama il cameriere.	SIGNORA: .... CAMERIERE: **Sì?**
***Chiede* il menù.**	SIGNORA: .... CAMERIERE: **Subito .... Eccolo.**
Indica che vuole prendere tempo. *Si fa consigliare.*	SIGNORA: .... CAMERIERE: **Mah! Tutto quello che vuole. Abbiamo ravioli, tonnarelli alla papalina.....**
***Chiede una descrizione* dei tonnarelli alla papalina.**	SIGNORA: .... CAMERIERE: **E' una pasta all'uovo, come delle fettuccine sottili, con panna, funghi, piselli, pancetta.**
Non accoglie il consiglio. Dice perché (troppo pesanti). *Ordina* fettuccine burro e sugo.	SIGNORA: .... CAMERIERE: **Bene.**

ATTIVITÀ 3

ESERCIZIO

Lavora con un compagno. Uno di voi si mette in piedi e fa il cameriere; l'altro fa il cliente. Riprendete la conversazione dell'attività 2, meno le ultime due battute. Sostituite i tonnarelli alla papalina **con, ogni volta, uno degli altri due piatti che hanno la descrizione nell'attività 1B. Ripetete l'esercizio molte volte scambiandovi i ruoli.** *Badate bene:* **anche** *saltimbocca alla romana* **è plurale.**

ATTIVITÀ 4

RIFLESSIONE

a) Alcuni nomi dei piatti nell'attività 1A sono al plurale, altri al singolare, come sarebbero scritti nel menù. Raggruppa insieme, nel tuo quaderno, tutti quelli al singolare e tutti quelli al plurale; così:

SINGOLARE	PLURALE

b) Poi, guarda la terza battuta del cameriere nella conversazione dell'attività 2 dove dice "Abbiamo...........". **I piatti elencati dopo sono al singolare o al plurale? .... Gli stessi piatti sono scritti al plurale anche sul menù. Il cameriere elencherebbe al plurale anche i piatti che sul menù sono al singolare tranne tre di questi. Quali? (Guarda la colonna dei piatti al singolare sul tuo quaderno). ....**

...

c) La ragione per cui questi piatti restano al singolare è che il loro nome rappresenta un *plurale.* **Cioè, questi piatti non sono composti da un elemento unico, ma da tanti elementi più o meno piccoli. Adesso scrivi al plurale i rimanenti 6 piatti della tua colonna** *singolare* **che il cameriere, nella sua terza battuta, nominerebbe al plurale.**

ATTIVITÀ 5

ESERCIZIO

Mettetevi in gruppi di 5. Uno di voi è il cameriere e sta in piedi con il libro aperto alle pagine in cui si trovano i disegni dei piatti. Gli altri stanno con il libro chiuso. A turno i quattro studenti seduti iniziano questa conversazione:

- Senta!
- Sí?
- Che cosa mi può consigliare?
- Mah! Tutto quello che vuole. Abbiamo..... **(lo studente - cameriere sceglie 4 piatti senza dimenticare il lavoro svolto nell'attività 4)**
- Prendo .... **(lo studente seduto sceglie fra questi 4 piatti. Se non capisce domanda:** Come, scusi?**)**
- Bene.

Quando lo studente-cameriere ha servito tutti e quattro gli studenti seduti, uno di questi lo sostituisce. L'esercizio finisce quando tutti e cinque gli studenti hanno interpretato il ruolo del cameriere.
Badate bene: **nella scelta del piatto, cominciando con** Prendo....., **è necessario usare l'articolo indeterminativo con i piatti che nel menù sono al singolare eccetto i tre che significano un** *plurale.* **Gli articoli indeterminativi sono:** *un, una* **e** *un'* **che si usa davanti a parole femminili che cominciano con una vocale.**

ATTIVITÀ 6

A. Leggi rapidamente e molte volte la rubrica di Gault & Millau presa dal settimanale italiano *L'ESPRESSO*.

GAULT & MILLAU

HOTEL DEGLI ULIVI **11,5/20**

Borgo Macchia
Ferrandina (Matera)
tel. 0835/757020-757021
Non chiude mai.

Se non prevenite, rischiate la monotonia dell'albergo meridionale frequentato da tecnici settentrionali che la Cassa del Mezzogiorno ha gettato inopinatamente in terre arcane ai loro occhi e al loro palato. Rischiate, quindi tagliatelle (di confezione), anonime fettine, uova timorose, insalate palliducce. Sottraetevi al pericolo telefonando: « arriviamo, preparate qualche piatto di sfizio » e troverete spaghetti, penne e rigatoni che raramente così buoni, così ben conditi e soprattutto così ben cotti. Il segreto, secondo lo chef, è nella pasta che fa venire da una cooperativa di Bari, dal nome lunghissimo e impossibile da mandare a mente (e abbiamo perso l'appunto). Buona, al solito, la carne bovina, stupende mozzarelle e saporosi formaggi (ma questa è la zona migliore per i latticini) completano un menù non ricco ma sufficiente. Scarsi i vini. Sulle 10.000 lire (se non siete a pensione).

MADDALENA (LA) **11/20**

Apriora (Potenza)
tel. 0971/923091
Sempre aperto.

E' un villaggio turistico, in bilico come spesso accade tra lo scempio ecologico e la valorizzazione della zona. Si mangia montanaro, dato che in questa zona montana la neve rimane fino a maggio. Gran maiale allora, mattina, sera e notte, ingrediente di base anche per gli "spaghetti alla "Maddalena", un piatto profumato e "rinforzato", con profitto, da capocollo, prosciutto cotto, capperi, peperoni sottaceto, filetti di pomodoro, aglio e olio. Avrete poi immancabili prosciutti, prevedibili capocolli, i cavatielli e gli strascinati (da queste parti il sugo è di castrato, un poco untuoso ma eccellente di aromi e di afrori). Il vino Aglianico è discreto, anche se non del migliore. Sulle 12.000 lire, se non siete a pensione.

DUE PIOPPI **11/20**

Vietri di Potenza (Potenza)
Svincolo Autostrada Potenza-Sicignano
tel. 0971/918053
Sempre aperto.

L'autostrada corre a perdita d'occhio, i paesi sono lontani, spesso invisibili, gli svincoli (pochi e melanconici) come questo di Balvano, il paesaggio brullo è appena macchiato dal verde di qualche arbusto. Così i due alberelli antistanti hanno suggerito il nome del ristorante ai giovani proprietari. Poca roba ma buona che vi serviranno con meridionale generosità di porzioni. Prosciutto e capocollo ottimi come è tradizione di questa zona di maiali magri e nutriti "di fino". Poi un buon primo col sugo di maiale e, sulla brace, capretto e agnello. Il pecorino è altalenante: a volte buonissimo, a volte mediocre, che sente il latte di vacca. Vino discreto (in zona però se ne trova di migliore). Prezzo adeguato alla moda autostradale: sulle 8-9.000 lire.

B. Metti una 'V' nelle apposite caselle se l'informazione è vera; mettici una 'F' se l'informazione è falsa.

Ristorante dell'"HOTEL DEGLI ULIVI"
- Per mangiare bene è meglio telefonare prima di andare. ☐
- Il segreto dello chef è nella carne. ☐
- Il menù non è molto ricco. ☐

Ristorante "LA MADDALENA"
- Si mangia a base di maiale. ☐
- Negli spaghetti alla Maddalena ci sono anche i peperoni sottaceto. ☐
- Il vino Aglianico è ottimo. ☐

Ristorante "DUE PIOPPI"
- E' chiuso il lunedì. ☐
- Prosciutto e capocollo sono ottimi. ☐
- Il pecorino è sempre buono. ☐

ATTIVITÀ 7

DRAMMATIZZAZIONE LIBERA

Lavora con un compagno. Preparate una scenetta. Uno di voi è il cameriere e l'altro è seduto al tavolo di un ristorante. Inventate una conversazione senza scriverla. Se usate la fantasia la conversazione durerà ben 5 minuti. L'insegnante inviterà alcuni di voi a recitarla davanti alla classe.
Ci raccomandiamo: **non si tratta di impararla a memoria; si tratta di improvvisarla.**

ATTIVITÀ 8

Lavora come nelle altre unità. Sentirai il giornale radio. Sotto c'è una lista delle notizie in ordine sbagliato. Mettile in ordine scrivendo il numero nella casella accanto.

- Riunione dell'OPEC. ☐
- Furto per centinaia di milioni a Roma. ☐
- Incontro del presidente del Consiglio incaricato coi partiti per il nuovo governo. ☐
- Terremoto a Cosenza. ☐
- Incontro fra i sindacati della scuola. ☐
- Si apre il campionato di calcio di Serie A. ☐
- Due vittime della droga a Milano. ☐
- Valore della lira. ☐
- Mostra dell'espressionismo a Parigi. ☐
- Esplosione di una bombola in un palazzo a Trieste. ☐
- Scippi di catenine d'oro a New York. ☐

RIASSUNTO GRAMMATICALE

I. VERBI

A. PRESENTE INDICATIVO

1. VERBI IN "-ARE"

PORTARE

(io) **porto**	(noi) **portiamo**
(tu) **porti**	(voi) **portate**
(lui/lei) **porta**	(loro) **portano**

2. VERBI IN "-ERE"

VEDERE

(io) **vedo**	(noi) **vediamo**
(tu) **vedi**	(voi) **vedete**
(lui/lei) **vede**	(loro) **vedono**

3. VERBI IRREGOLARI

POTERE

(io) **posso**	(noi) **possiamo**
(tu) **puoi**	(voi) **potete**
(lui/lei) **può**	(loro) **possono**

ESSERE

(io) **sono**	(noi) **siamo**
(tu) **sei**	(voi) **siete**
(lui/lei) **è**	(loro) **sono**

AVERE

(io) **ho**	(noi) **abbiamo**
(tu) **hai**	(voi) **avete**
(lui/lei) **ha**	(loro) **hanno**

VOLERE

(io) **voglio**	(noi) **vogliamo**
(tu) **vuoi**	(voi) **volete**
(lui/lei) **vuole**	(loro) **vogliono**

4. VERBI RIFLESSIVI

CHIAMARSI

(io) **mi chiamo**	(noi) **ci chiamiamo**
(tu) **ti chiami**	(voi) **vi chiamate**
(lui/lei) **si chiama**	(loro) **si chiamano**

B. IMPERATIVO FORMALE

1. VERBI IN "-ARE"

scusi
continui
guardi
giri
attraversi

2. VERBI IN "-ERE" e "-IRE"

senta (sentire)
attenda (attendere)

3. VERBI IRREGOLARI

vada (andare)
esca (uscire)

II. SOSTANTIVI, ARTICOLI, AGGETTIVI

L'articolo e l'aggettivo si accordano con il sostantivo.

A. SOSTANTIVI

MASCHILI		FEMMINILI	
SINGOLARE	*PLURALE*	*SINGOLARE*	*PLURALE*
francobollo	**francobolli**	**stanza**	**stanze**
momento	**momenti**	**carta**	**carte**
signore	**signori**	**prenotazione**	**prenotazioni**

B. ARTICOLI

1. DETERMINATIVI

	MASCHILI		FEMMINILI	
	SINGOLARE	*PLURALE*	*SINGOLARE*	*PLURALE*
	il	**i**	**la**	**le**
Davanti alle parole inizianti con una vocale:	**l'**	**gli**	**l'**	**le**

2. INDETERMINATIVI

	MASCHILI	FEMMINILI
	un	**una**
Davanti alle parole inizianti con una vocale:	**un**	**un'**

C. AGGETTIVI

AL MASCHILE		AL FEMMINILE	
SINGOLARE	*PLURALE*	*SINGOLARE*	*PLURALE*
splendido	**splendidi**	**splendida**	**splendide**
pesante	**pesanti**	**pesante**	**pesanti**

III. PRONOMI DIRETTI

TERZA PERSONA

MASCHILI		FEMMINILI	
SINGOLARE	*PLURALE*	*SINGOLARE*	*PLURALE*
lo	**li**	**la**	**le**

IV. ELISIONI

1. **Dov'**è la stazione, per favore?
2. **Quant'**è il pacchetto di MS?
3. **C'**è un semaforo alla piazza?

V. PREPOSIZIONI

1. Giri **alla** seconda **a** destra.
2. Attenda il signor Bianchi **al** ristorante.
3. **Ad** un certo punto trova una piazza.
4. Voglio andare **all'**estero.
5. Vorrei **delle** buste **da** lettera.
6. Ha un po' **di** burro?
7. Vorrei una stecca **di** Marlboro.
8. Mi porta **della** carta, per favore?
9. Che francobolli ci vogliono **per** la Grecia?
10. Vorrei un francobollo **per** un espresso.

TEST

1. Completa queste informazioni stradali usando i verbi all'imperativo formale. (uscire) .... **dalla stazione.** (Andare) .... **dritto fino alla piazza.** (Prendere) ...... **la prima strada a destra e** (continuare) .... **fino al secondo semaforo. Poi** (girare) .... **a sinistra.** (Andare) .... **avanti e dopo 200 metri trova un'altra piazza. La** (attraversare) .... **e** (continuare) .... **per altri 50 metri. La Banca d'Italia è sulla sinistra.**

2. Scrivi la forma esatta dei verbi.

   a) Mi (portare) .... **un'insalata verde, per favore?** (al formale)

   b) (avere) .... **della carta da lettera?** (al formale)

   c) Dove (essere) .... **i francobolli?**

   d) Che cosa mi (potere) .... **consigliare?** (al formale)

   e) Io non (trovare) .... **la piazza sulla piantina.**

   f) Noi non (avere) .... **cannelloni.**

   g) Mi (dispiacere), ... **non ci sono patate arrosto.**

   h) Mi può (dire) .... **dov'è la stazione?**

   i) Ci (volere) .... **un francobollo da 150 lire.**

   l) (attendere) .... **un momento.** (al formale)

3. Scrivi le preposizioni adatte.

   a) Che francobolli ci vogliono .... **una raccomandata?**

   b) Giri .... **primo semaforo.**

   c) Giro .... **sinistra o** .... **destra?**

   d) Vorrei .... **cartoline, per favore.**

   e) Non ho un francobollo .... **220 lire.**

   f) .... **un certo punto trova via della Luce.**

   g) Loro non sono .... **estero, sono in Italia.**

   h) Mi porta un po' .... **vino, per favore?**

4. Scrivi gli articoli determinativi.

   a) **Ho una lettera per** .... **Grecia.**

   b) Ho fatto .... **prenotazione personalmente.**

   c) Dov'è .... **pipa?**

   d) Per .... **momento non abbiamo francobolli.**

   e) Non trovo .... **ristorante.**

5. Scrivi gli articoli indeterminativi.

a) **Non ho .... lira.**

b) **Ho .... stanza prenotata.**

c) **Mi dà .... francobollo da 100 lire, per cortesia?**

d) **Attenda .... attimo.**

e) **Che francobolli ci vogliono per .... lettera in Italia?**

6. Scrivi gli aggettivi nella forma esatta.

a) **Ha le 100 lire ....** (spicciolo)?

b) **E' una stanza ....** (splendido)

c) **Non vedo .... signora Bianchi.** (nessuno)

d) **Le lasagne sono troppo ....** (pesante).

7. Scrivi i pronomi diretti esatti.

a) **– Mi dà la pipa, per favore?**

– Dov'è? Non .... vedo.

b) **– Quando trova la piazza, ... attraversi.**

c) **– I ravioli sono buoni.**

– Allora .... prendo.

d) **– Non trovo nessun signor Salerno prenotato.**

– Come non .... trova!?

8. Completa queste conversazioni.

a) – ....?

– Dunque. La stazione.... Guardi, vada dritto; poi giri alla prima a sinistra e la trova dopo 60 metri.

b) OSPITE: ....

RECEPTIONIST: **La sveglia? Certo. A che ora?**

OSPITE: ....

RECEPTIONIST: **Bene.**

OSPITE: ....

RECEPTIONIST: **La cena è dalle 19,00 alle 21,00.**

OSPITE: ....

RECEPTIONIST: **Prego.**

c) CLIENTE: ....

TABACCAIO: **Buongiorno.**

CLIENTE: ....

TABACCAIO: **Due cartoline? Eccole.**

CLIENTE: ....

TABACCAIO: **200 lire.**

d) CLIENTE: ....

CAMERIERE: **Sì?**

CLIENTE: ....

CAMERIERE: **Eccolo.**

CLIENTE: ....

CAMERIERE: **Può prendere una cotoletta alla bolognese, saltimbocca alla romana.**

CLIENTE: ....

CAMERIERE: **Sono delle fettine di carne con prosciutto sopra e una foglia di salvia, con una salsa di limone.**

5ª unità FARE UNA TELEFONATA

La signora Anita Brugnolini fa una telefonata dalla stanza del suo albergo a Roma.

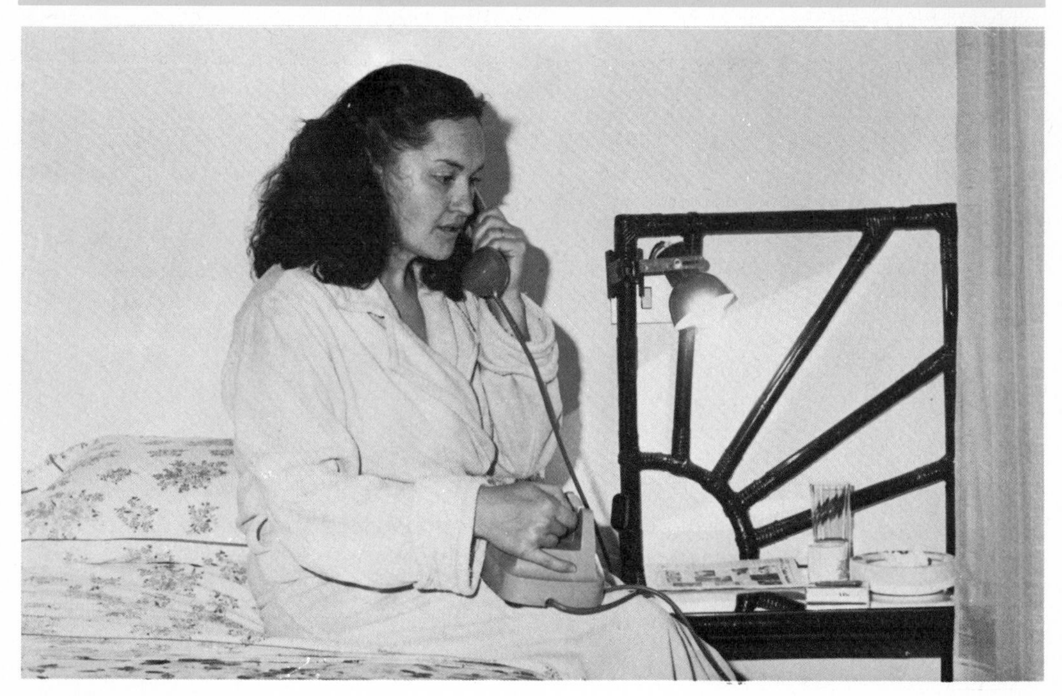

ATTIVITÀ 1

Ascolta molte volte la conversazione.
Metti una croce nella casella accanto alle informazioni giuste.

1. Vuole parlare con:
- il dottor Franceschi ☐
- il dottor Firenze ☐

2. Questa persona lavora a:
- Milano ☐
- Firenze ☐

3. Risponde due volte una persona:
- a Torino ☐
- a Firenze ☐

4. Il prefisso per Milano è:
- 02 ☐
- 06 ☐

5. Alla fine non riesce ☐ a parlare con il dottore.
riesce ☐

6. Lascia ☐ un messaggio per il dottore.
Non lascia ☐

ATTIVITÀ 2

Lavora come nelle altre Unità.
Attenzione: tenete presente che è una conversazione telefonica e quindi le due persone non si vedono. Perciò per la messa in scena riproducete le stesse condizioni mettendovi uno di schiena all'altro.

	UOMO:	**Pronto.**
Risponde e *saluta.* *Si presenta.* *Chiede di parlare con* il dottor Franceschi.	SIGNORA B.:	....
	UOMO:	**No, guardi, ha sbagliato numero. Qui il dottor Franceschi non c'è.**
Perplessa, chiede conferma riguardo al numero (7662016).	SIGNORA B.:	....
	UOMO:	**Sì sì.**
Perplessa, chiede conferma riguardo alla città (Milano).	SIGNORA B.:	....
	UOMO:	**No, guardi, lei sta parlando con Firenze.**
Esprime la fine della sua perplessità. Chiede scusa.	SIGNORA B.:	....
	UOMO:	**Niente.**
Chiede scusa e *saluta.*	SIGNORA B.:	....
	UOMO:	**Buonasera.**

ATTIVITÀ 3

ESERCIZIO

Scrivi:

a) una lista di 5 o 6 nomi del tipo: il dottor Franceschi
la signorina Andreotti
b) una lista di 5 o 6 numeri telefonici.
c) una lista di 5 o 6 città italiane.

Con un compagno riprendi tante volte la conversazione dell'attività 2, sostituendo nomi numeri e città (scelti dalle tue liste) cambiando ogni volta. Scambiatevi i ruoli ogni volta. Usa il tuo nome quando chiami tu.
Riproducete le condizioni di una telefonata come avete fatto per l'attività 2.

ATTIVITÀ 4

per comunicazioni CONTINENTALI (Stati Europei) e con Algeria, Cipro, Egitto, Libia, Marocco, Tunisia, Turchia e con le navi in navigazione

Prenotazioni e informazioni 15

Informazioni 184

Le informazioni sottostanti sono state prese dalle prime pagine dell'elenco telefonico italiano. Leggi i piccoli brani e attribuisci ad ognuno l'esatto titolo mettendo il numero accanto alla lettera.

1 **Conversazioni personali:**

2 **Tariffe**

3 **Conversazioni con addebito su tessera di credito (Credit Card):**

4 **Conversazioni con pagamento a destinazione («R») - Servizio Collect:**

A sono quelle richieste da possessori di tessere di credito, rilasciate da amministrazioni o concessionarie estere, con addebito della conversazione a carico dell'intestatario della tessera di credito. Per lo svolgimento di questo servizio bisogna comunicare all'atto della prenotazione il numero della tessera di credito.

B sono quelle richieste da utenti che desiderano essere collegati al numero desiderato con una determinata persona.

C Sono stabilite da accordi tra le Amministrazioni degli Stati interessati al collegamento. Il costo della comunicazione è in relazione alla sua durata (la durata minima è di tre minuti e le unità successive sono di un minuto ognuna) e alla distanza tra i corrispondenti. Per le comunicazioni richieste con pagamento all'arrivo «R» e per quelle «personali» è dovuta una soprattassa corrispondente alla tariffa di due minuti di conversazione: le due soprattasse non si sommano.

D sono quelle richieste con il pagamento della comunicazione a carico dell'utente chiamato. In tal caso, il richiedente sarà collegato non appena l'operatore telefonico avrà ricevuto conferma di accettazione del pagamento da parte del richiesto.

ATTIVITÀ 5

Prima di fare l'interurbana la signora Brugnolini chiama il centralino dell'albergo. Lavorate come nell'attività 2.

	CENTRALINISTA:	**Pronto signora, mi dica.**
Saluta. Indica che sta per parlare. Esprime un desiderio (interurbana a Milano).	SIGNORA B.:	....
		....
		....
	CENTRALINISTA:	**Sì. Mi dà il numero?**
Risponde negativamente. Esprime un desiderio.	SIGNORA B.:	....
	CENTRALINISTA:	**Ah, va bene. Le passo la linea, allora. Soltanto un attimo..... Ecco prego: la linea è in camera.**
Ringrazia.	SIGNORA B.:	....
	CENTRALINISTA:	**Buonasera.**
Saluta.	SIGNORA B.:	....

ATTIVITÀ 6

ESERCIZIO

Immaginiamo che la signora dica sì alla quarta battuta della conversazione dell'attività 5. Pensa al diverso proseguimento della conversazione. Riprendi molte volte la conversazione con un compagno scambiando con lui i ruoli. Chi prende la parte della signora dirà no **o** sì **e la conversazione proseguirà di conseguenza. (Schiena a schiena).**

ATTIVITÀ 7

Lavora come nell'attività 1 di questa unità. Questa volta è l'avvocato Mandelli che telefona dalla stanza del suo albergo a Roma.

1. Vuole telefonare a ...
- Napoli ☐
- Bologna ☐

2. Il prefisso è ....
- 092 ☐
- 081 ☐

3. Vuole parlare con ...
- il dottor Ruffolo ☐
- il dottor Felinea ☐

4. Il dottore ...
- c'è ☐
- non c'è ☐

ATTIVITÀ 8

ESERCIZIO

Leggi questa conversazione telefonica:

MARIA: Sono Maria. Vorrei parlare con Piero, per favore.
GIORGIO: Non c'è, mi dispiace.
MARIA: Allora posso lasciar detto qualcosa?
GIORGIO: Certo. Dica.
MARIA: Gli dica che ho chiamato, per favore.
GIORGIO: Va bene.
MARIA: Grazie. Buonasera.
GIORGIO: Prego. Buonasera.

Ecco il bigliettino che Giorgio ha lasciato per Piero:

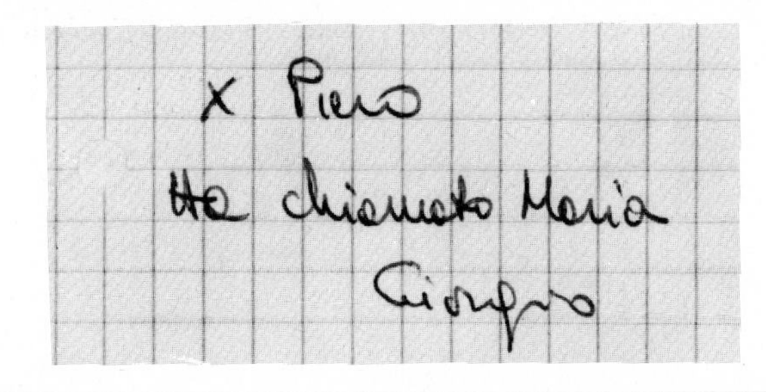
x Piero
Ha chiamato Maria
Giorgio

Qui sotto ci sono altri bigliettini scritti da Giorgio per gli amici che abitano con lui. Lavora con un compagno e riproducete la conversazione telefonica che ha dato luogo ad ogni bigliettino.

x Pierpaolo
Anna ti chiamerà domani
sera alle 9
Giorgio

x Luigi
Angela ha trovato l'albergo.
Giorgio

x Gianni
È arrivata tua madre
Giorgio

x Antonio
La signora Rossi vuole il numero
di telefono del tuo ufficio.
Giorgio

ATTIVITÀ 9

Dopo aver ottenuto due volte la comunicazione con Firenze invece che con Milano la signora Brugnolini richiama il centralinista. Lavorate come nell'attività 2.

	CENTRALINISTA:	**Pronto.**
Risponde.	SIGNORA B.:	....
	CENTRALINISTA:	**Mi dica, signora.**
Indica che sta per parlare. Ricorda che ha già parlato con lui. Descrive il problema.	SIGNORA B.:	....
	CENTRALINISTA:	**Firenze?**
Risponde affermativamente.	SIGNORA B.:	....
	CENTRALINISTA:	**E' sicura di fare il prefisso esatto?**
Indica che non risponde direttamente alla domanda e chiede una conferma.	SIGNORA B.:	....
	CENTRALINISTA:	**Sì, è 02.**
Esprime soddisfazione per la conferma. Di conseguenza esprime incomprensione.	SIGNORA B.:	....
	CENTRALINISTA:	**Mah. Non saprei cosa dirle, signora. Forse c'è qualche contatto.**

ATTIVITÀ 10

ESERCIZIO

Con un compagno riprendi la conversazione cambiando la città e il prefisso con quelli della lista riportata sotto. Scambiatevi i ruoli ogni volta.

GENOVA	010	VENEZIA	041
TORINO	011	FIRENZE	055
NAPOLI	081	BARI	080
PALERMO	091		

ATTIVITÀ 11

Leggi con molta attenzione questa lettera. Poi immagina e scrivi la lettera della dottoressa Renzi a cui questa fa riferimento. Impegnati a concepirla in modo da renderla il più aderente possibile alla lettera di risposta che hai letto senza tralasciare nessun punto. Attenzione alla forma della lettera (vedere 1ª Unità attività 10).

ngm s.r.l.
produzione pubblicità 00195 ROMA - Via Carlo Mirabello, 25 - Tel. 382470

Dott.ssa Renzi
P.le Belle Arti, 88
F I R E N Z E

Roma, 1.4.19...

Gentile Dottoressa Renzi,

rispondo alla Sua del 12 u.s.

La ringraziamo sentitamente per la conferma dataci riguardo alla spedizione dei materiali da noi richiesti.

Per quanto riguarda l'inconveniente telefonico da Lei lamentato, Le confermo quanto già la SIP Le ha detto, e cioè che il nostro numero è rimasto invariato.

Anche noi abbiamo chiesto chiarimenti alla SIP, la quale ci ha garantito che nel nostro impianto non c'è nessun guasto. Del resto prima di Lei nessuno aveva riscontrato l'inconveniente.

In ogni caso provi cortesemente a richiamarci quando potrà, ma non dopo le 17ºº dei soli giorni feriali.

Siamo spiacenti per l'inconveniente e La ringraziamo di nuovo per la Sua cortese sollecitudine.

Sperando che il disguido tecnico venga presto eliminato Le porgiamo i nostri più distinti saluti.

L'Amministratore Delegato

ATTIVITÀ 12

DRAMMATIZZAZIONE LIBERA

Lavorate in gruppi di quattro. Preparate una scenetta in cui uno di voi fa una telefonata interurbana con l'intervento del centralinista dell'albergo (il secondo studente) ed ottiene due volte la comunicazione con una città diversa (il terzo studente). Dopodiché il primo studente parla di nuovo con il centralinista e prova un'altra volta il numero. Finalmente questa volta riesce a comunicare con la città voluta. Il quarto studente risponde, dice che la persona desiderata è uscita e prende un messaggio. Lavorate come vi è stato consigliato nell'attività 7 della 4ª Unità.

HAI NOTATO ....?

.... la 1ª persona del **PRESENTE INDICATIVO** del verbo **'capire':**
io non **capisco**

.... la 1ª e la 3ª persona del **PASSATO PROSSIMO:**
(io) **ho chiamato** (chiamare) (lei) **ha sbagliato** numero
(io) **ho provato** (provare)

.... l'**IMPERATIVO FORMALE** del verbo **'dire':**
dica

.... come l'**INFINITO** viene troncato davanti ad un altro verbo in:
lasciar detto

.... l'uso della **FORMA PROGRESSIVA** in:
Lei **sta parlando** con Firenze.
che viene usata al posto del presente 'semplice' per dare l'idea della provvisorietà. (L'uomo a Firenze, a differenza della Signora B. nella battuta precedente, sa che la telefonata sta per finire).

.... il **PRONOME DIRETTO** in:
mi scusi

.... l'elisione del **PRONOME DIRETTO** maschile 3ª persona in:
l'ho chiamato

.... i **PRONOMI INDIRETTI** in:
Mi dà il numero? **Mi** dica.
Non saprei cosa dir**le.** **Gli** dica che ho chiamato.

.... il **PRONOME SOGGETTO ENFATICO:**
io stessa (femminile) **io stesso** (maschile)

.... l'uso di **no?** alla fine di una frase affermativa, che viene usato per avere la conferma dall'altro:
Il prefisso per Milano è 02, **no?**

.... le **PREPOSIZIONI** in:
Vorrei parlare **con** il dottor Franceschi, per cortesia.
Parlo **con** Milano?
E' sicura **di** fare... (dopo **'sicuro'**)
per avere la linea.

LESSICO

sbagliare	linea	forse	per cortesia
fare	volta	qualche	in camera
passare	interurbana	niente	come mai?
ringraziare	numero	prima	
provare	prefisso	sicuro	
chiamare	contatto	pronto	
sapere			
rispondere			

FARE UNA NUOVA CONOSCENZA

Il signor Romano, nuovo ospite dell'albergo, intraprende una conversazione con un'altra ospite, la signorina Crivelli, al bar dello stesso albergo.

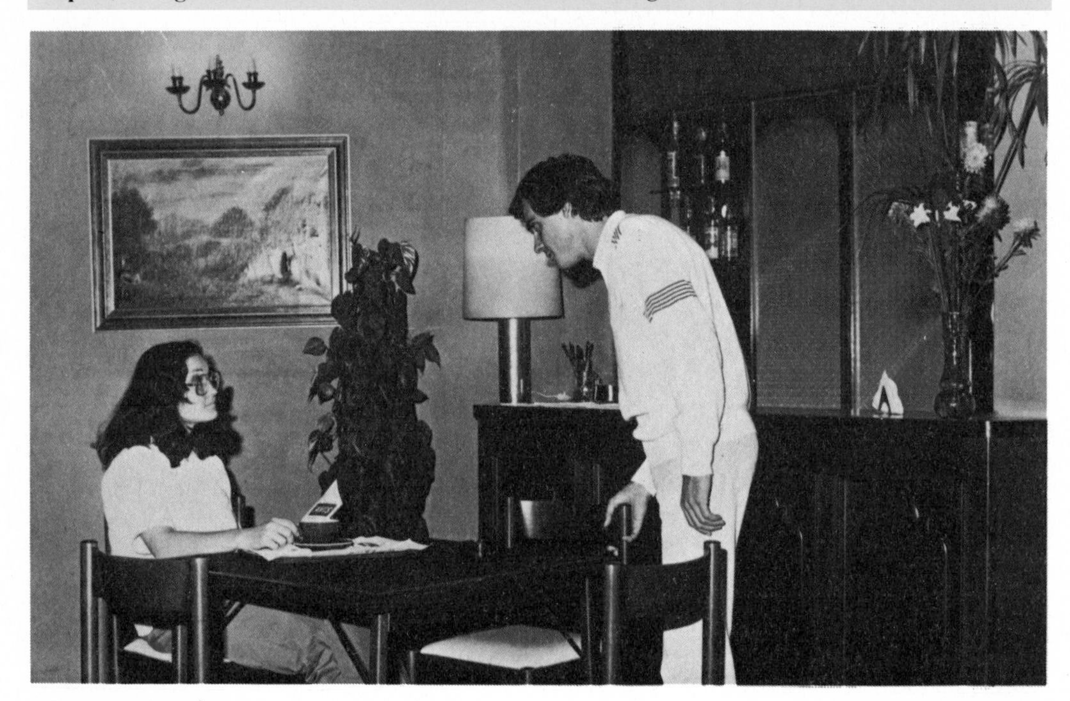

ATTIVITÀ 1

Ascolta molte volte la conversazione e indica con una croce se le affermazioni sottostanti sono vere o false.

		VERO	FALSO
1.	La signorina Crivelli accetta la compagnia del signor Romano al suo tavolo.	☐	☐
2.	La signorina accetta una sigaretta.	☐	☐
3.	Il signor Romano è arrivato all'albergo due giorni fa.	☐	☐
4.	La signorina vive nell'albergo da una settimana.	☐	☐
5.	Il signor Romano conosce l'albergo.	☐	☐
6.	Il signor Romano ha problemi con la sua camera (e vuole cambiarla).	☐	☐
7.	Il signor Romano offre un caffè alla signorina.	☐	☐
8.	La signorina è a Roma per lavoro.	☐	☐
9.	Il signor Romano resta a Roma 20 giorni.	☐	☐
10.	La signorina è di Fermo.	☐	☐
11.	La signorina conosce la città del signor Romano.	☐	☐
12.	Il signor Romano propone alla signorina di pranzare insieme.	☐	☐
13.	La signorina accetta la proposta.	☐	☐

ATTIVITÀ 2

Lavora come nelle altre unità.

Attenzione: **tieni presente che nell'intraprendere la conversazione il signor Romano sa di andare a turbare la privacy della signorina, quindi il rapporto fra i due è più difficoltoso e di conseguenza il signor Romano usa espressioni più formali di quelle usate nelle precedenti unità, dove il tabaccaio, per esempio, o il receptionist, non fanno altro che il loro mestiere nel vendergli sigarette o nell'assegnargli una camera.**

Attira l'attenzione. Saluta. Chiede il permesso di sedersi.	SIGNOR R.:	....
		....
	SIGNORINA C.:	**Certo. Prego. Si accomodi.**
Ringrazia. Chiede il permesso di fumare.	SIGNOR R.:	....
		....
	SIGNORINA C.:	**No, no. Prego. Fumo anch'io, quindi non c'è problema.**
Accoglie un'informazione. Offre una sigaretta.	SIGNOR R.:	....
	SIGNORINA C.:	**Sì. Grazie.**
Risponde al ringraziamento. Indica che vuole continuare a parlare. Chiede un'informazione.	SIGNOR R.:	....
		....
		....
	SIGNORINA C.:	**Da circa una settimana.**

ATTIVITÀ 3

ESERCIZIO

Lavora con un compagno. Riprendete le prime quattro battute della conversazione dell'attività 2 fino a Prego **incluso. Variate la terza battuta scegliendo nella colonna sottostante. Scambiatevi i ruoli.**

aprire la finestra
accendere la radio
finire la sigaretta
fumare la pipa
alzare il volume del televisore

Badate bene: **la prima persona dell'indicativo presente del verbo** *finire* **è** *finisco,* **mentre quella del verbo** *aprire* **è** *apro.*

ATTIVITÀ 4

ESERCIZIO

Lavora con un compagno.

– Gradisce una sigaretta?
– Sì. Grazie.
– Prego.

Riprendete molte volte queste tre battute. Variate la prima sostituendo *una sigaretta* **con le cose suggerite dai disegni sottostanti. Scambiatevi i ruoli ogni volta.**

ATTIVITÀ 5

ESERCIZIO

Lavora con un compagno. Riprendete molte volte le ultime due battute della conversazione dell'attività 2. Variate l'ultima parte delle due battute scegliendo nelle colonne sottostanti. Scambiatevi i ruoli ogni volta.

abitare	un mese
vivere	due ore
lavorare	cinque giorni
stare	due settimane
alloggiare	tre anni
aspettare	sei mesi
venire	un anno
fare la spesa	

Badate bene: **la terza persona singolare del verbo** *venire* **è** *viene.*

ATTIVITÀ 6

DETTATO

Lavora con un compagno. Ascoltate parecchie volte la registrazione cercando di completare questa conversazione. Ad ogni gruppo di puntini corrisponde una parola.

SIGNOR R.: **Noi .... ci siamo neanche presentati. ....**

SIGNORINA C.: **Crivelli. Piacere.**

SIGNOR R.: **.. .... Che .... fa ....?**

SIGNORINA C.: **.................... in vacanza.**

SIGNOR R.: **..............! Anche ....!**

SIGNORINA C.: **........ ...., ... e sarò .... per circa .... mese.**

SIGNOR R.: **............... lei di dov'è, ...?**

SIGNORINA C.: **.......... ....di Fermo.**

SIGNOR R.: **.......................... .... pare che sia nelle Marche, ...?**

SIGNORINA C.: **........, ... provincia di Ascoli Piceno.**

ATTIVITÀ 7

Al bar dell'albergo un ospite intraprende una conversazione con un altro ospite. Lavora come nell'attività 1 di questa unità.

		VERO	FALSO
1.	Uno dei due prende un tè freddo e l'altro un cappuccino.	☐	☐
2.	Uno dei due lavora come professore.	☐	☐
3.	L'altro lavora come dentista.	☐	☐
4.	Uno dei due occupa la camera 205.	☐	☐
5.	Solo uno dei due viene disturbato la mattina.	☐	☐
6.	La causa del disturbo è il personale delle pulizie.	☐	☐
7.	Non sono soddisfatti dell'albergo.	☐	☐
8.	Tutti e due sono ospiti dell'albergo per la prima volta.	☐	☐
9.	L'albergo dà sulla spiaggia.	☐	☐
10.	Uno dei due è romano e l'altro è siciliano.	☐	☐
11.	Tutti e due hanno bambini.	☐	☐
12.	Si accordano per fare qualche gita insieme.	☐	☐

ATTIVITÀ 8

ESERCIZIO

Lavora con un compagno. Guardate l'immagine che raffigura l'Italia ponendo particolare attenzione alle regioni e ai capoluoghi di provincia. Poi riprendete le ultime quattro battute della conversazione dell'attività 6, sostituendo la citta di Fermo **con quelle segnate sulla carta d'Italia. Ripetete molte volte l'esercizio scambiandovi i ruoli.**

Badate bene: per le regioni con un nome femminile singolare la preposizione *nelle* **diventa** *in*. **Per le regioni con un nome maschile singolare la preposizione diventa** *nel* **o** *nell'*.

ATTIVITÀ 9

Leggi molte volte la lettera qui sotto tenendo presente i consigli che ti sono stati dati nell'attività 7 della 1ª Unità.

Lecce, 28-4-19..

Sig.ra Caterina M. Della Valle
Viale Bruno Buozzi, 54
00100 ROMA

Gentilissima Signora,
sono un'amica di Sua nipote Giovanna, che ho conosciuto all'Università. Durante alcune nostre conversazioni Giovanna mi ha parlato molto di Lei come una persona straordinaria da conoscere e mi farebbe molto piacere incontrarLa durante la mia prossima permanenza a Roma, se ciò non interferirà nei Suoi innumerevoli impegni di lavoro.

Mi chiamo Laura Sandrelli e abito qui a Lecce da quattro anni, da quando cioè ho cominciato a studiare all'Università. Poiché in questo periodo sono impegnata nello studio dell'arte barocca, ho sentito la necessità di vederne gli esempi più rappresentativi di cui Roma è ricca. Verrò quindi a Roma il 16 maggio prossimo e ci resterò per circa venti giorni.

Se in questo periodo Lei avrà un giorno o qualche ora libera, sarei felice di incontrarLa. Inoltre sarebbe interessantissimo per me parlare con Lei come Direttrice dell'Istituto del Restauro di Roma; la Sua esperienza nel campo dell'arte mi sarebbe preziosissima.

Sperando in una Sua positiva risposta alla mia richiesta, Le porgo i miei più distinti e cordiali saluti.

Laura Sandrelli

Laura Sandrelli
Viale Giotto, 36
LECCE

Completa le seguenti affermazioni:

1. La signorina che scrive è ....
2. Alla signorina che scrive farebbe piacere ....
3. La signorina che scrive si chiama ....
4. La persona a cui la signorina scrive è ....
5. Laura Sandrelli abita ....
6. Laura Sandrelli studia ....
7. Laura Sandrelli andrà a Roma per ....
8. Laura Sandrelli resterà a Roma per ....
9. Per Laura Sandrelli sarebbe interessantissimo ....
10. La professione della signora Della Valle è ....

ATTIVITÀ 10

Scrivi la lettera di risposta della signora Della Valle alla signorina Laura Sandrelli. Nella lettera la signora si dichiara disposta ad incontrare la signorina anche più di una volta e la invita a telefonarle non appena sarà a Roma.

ATTIVITÀ 11

ESERCIZIO

Assicurati di capire l'elenco riportato qui sotto. Lavora con un compagno. Scambiandovi i ruoli ripetete molte volte le prime 6 battute della conversazione dell'attività 6. Variate Sono in vacanza **con le frasi dell'elenco. (***Attenzione:* **i verbi fra parentesi sono all'infinito).**

(studiare) all'università
(lavorare) in un'industria
(essere) in vacanza
(frequentare) l'Accademia d'Arte
(essere) qui per affari
(partecipare) al congresso dei medici
(essere) giornalista

ATTIVITÀ 12

ASCOLTO INTENSIVO FONOLOGICO

Ogni lingua ha una sua *musicalità.* **Questa musicalità è determinata da elementi come: l'altezza della voce, l'accento, la pausa fra un gruppo di parole e un altro gruppo. Questi elementi, che ci fanno esprimere un giudizio su quanto è** *bella* **una lingua, non hanno però solo un valore estetico. L'accento, il ritmo e l'intonazione servono moltissimo a determinare il significato di una frase e l'atteggiamento emotivo dei parlanti. (Pensa a quante frasi ci sono, anche nella tua lingua, grammaticalmente uguali che con un'intonazione diversa hanno significati differenti. Per esempio:** Vieni qui **detto con differenti intonazioni può essere un ordine, una richiesta, una preghiera, un invito, una richiesta d'informazione ecc.).**

Lavora con un compagno. Riascoltate parecchie volte la registrazione dell'attività 6. Poi:

1. **Notate che le parole sono enunciate in gruppi. Ogni gruppo è diviso dal seguente da una pausa. All'interno del gruppo (cioè fra una pausa e l'altra) le parole sono legate come se fossero una sola parola. Sulla trascrizione segnate con un trattino verticale (|) dove sono le pause.**

2. **Notate che all'interno di ogni gruppo di parole (cioè fra una pausa e l'altra) c'è una sillaba più accentuata delle altre. Segnate questa sillaba con un trattino orizzontale posto sopra.**

3. **Con l'aiuto della versione registrata o dell'insegnante ripetete ogni enunciato molte volte, rispettando il ritmo (pause e accenti) e l'intonazione. Mettete la conversazione in scena cercando di fare un pezzo di teatro convincente. Cercate di memorizzare quanto potete.**

ATTIVITÀ 13

ESERCIZIO

Formate gruppi di 4 o 6 studenti. All'interno del gruppo formate delle coppie. Ogni coppia deve ripetere l'intera conversazione dell'attività 6 scambiandosi i ruoli e utilizzando tutte le possibili variazioni suggerite dalle attività 11 e 8. Cambiate le coppie all'interno del gruppo fino a quando ciascuno non avrà lavorato con tutti gli altri componenti del gruppo.

HAI NOTATO ....?

.... la prima persona singolare del **PRESENTE INDICATIVO** del verbo **sapere**
(io) non **so**

.... la terza persona singolare del **PRESENTE INDICATIVO** del verbo **gradire**
gradisce

.... la prima persona plurale del **PASSATO PROSSIMO** del verbo riflessivo **presentarsi** in:
non **ci siamo** neanche **presentati**
(il passato prossimo dei verbi riflessivi si forma con l'ausiliare **essere** e il participio passato si accorda con il genere e numero del soggetto).

.... la terza persona singolare del **PRESENTE INDICATIVO** del verbo **dare**
dà

.... la terza persona singolare del **PRESENTE INDICATIVO** del verbo **fare**
fa

.... la prima persona singolare del **FUTURO** del verbo **essere**
sarò

.... la prima persona singolare del **PRESENTE CONGIUNTIVO** del verbo **essere**
sia
(determinato dall'espressione: **mi pare che...** che indica incertezza)

.... le **PREPOSIZIONI da** e **per** in:
da circa una settimana (contando all'indietro)
per circa un mese

.... la **PREPOSIZIONE in**
in vacanza
in provincia
nelle Marche (con l'articolo femminile plurale **le**)

.... l'elisione nella parola **anche** davanti a **io** in:
fumo **anch'io**

.... l'elisione del **PRONOME DIRETTO la** davanti a verbo iniziante per vocale
l'importuno

.... l'uso del **PRONOME SOGGETTO** in:
noi non ci siamo neanche presentati
io mi chiamo Romano
che si usa per fare una distinzione

.... l'**AGGETTIVO POSSESSIVO** in:
piacere **mio**

.... l'uso di **molto** con il significato di **molto tempo** in:
è **molto** che lei è qui?

7ª unità FARE OPERAZIONI DI BANCA

Il signor Marchetti è in una banca a Roma e parla con un'impiegata. Vuole cambiare delle sterline e vuole delle informazioni circa la possibilità di aprire un conto corrente.

ATTIVITÀ 1

Lavora come nelle altre unità. Metti una croce nella casella appropriata.

1. Il numero di sterline che vuole cambiare è ...
   55 ☐ 65 ☐ 75 ☐ 85 ☐
2. Il cambio (cioè il valore della sterlina) è ...
   1740 lire ☐ 1840 lire ☐ 1850 lire ☐ 2840 lire ☐
3. Non può aprire un conto corrente perché ...
   non è residente a Roma ☐ non ha un documento ☐
4. Il deposito a risparmio ...
   comprende un libretto di assegni ☐ non comprende un libretto di assegni ☐
5. L'impiegata gli consiglia di scegliere il deposito a risparmio ...
   nominativo ☐ al portatore ☐
6. L'interesse lordo è ...
   8,50% ☐ 8,25% ☐ 9,25% ☐ 9,50% ☐

ATTIVITÀ 2

Lavora come nelle altre unità.

	IMPIEGATA: **Buongiorno, mi dica.**
Risponde al saluto. *Indica che sta per parlare. Chiede di* cambiare dei soldi e *chiede informazioni* sul cambio.	CLIENTE: ....
	IMPIEGATA: **1840.**
***Commenta positivamente* l'informazione.**	CLIENTE: ....
	IMPIEGATA: **Sì. Quante sterline ha?**
Risponde alla domanda (75).	CLIENTE: ....
	IMPIEGATA: **Sì. Va bene. Un momento.... Guardi, si accomodi alla cassa con questo.**
Indica che seguirà le istruzioni dategli. Ringrazia.	CLIENTE: ....

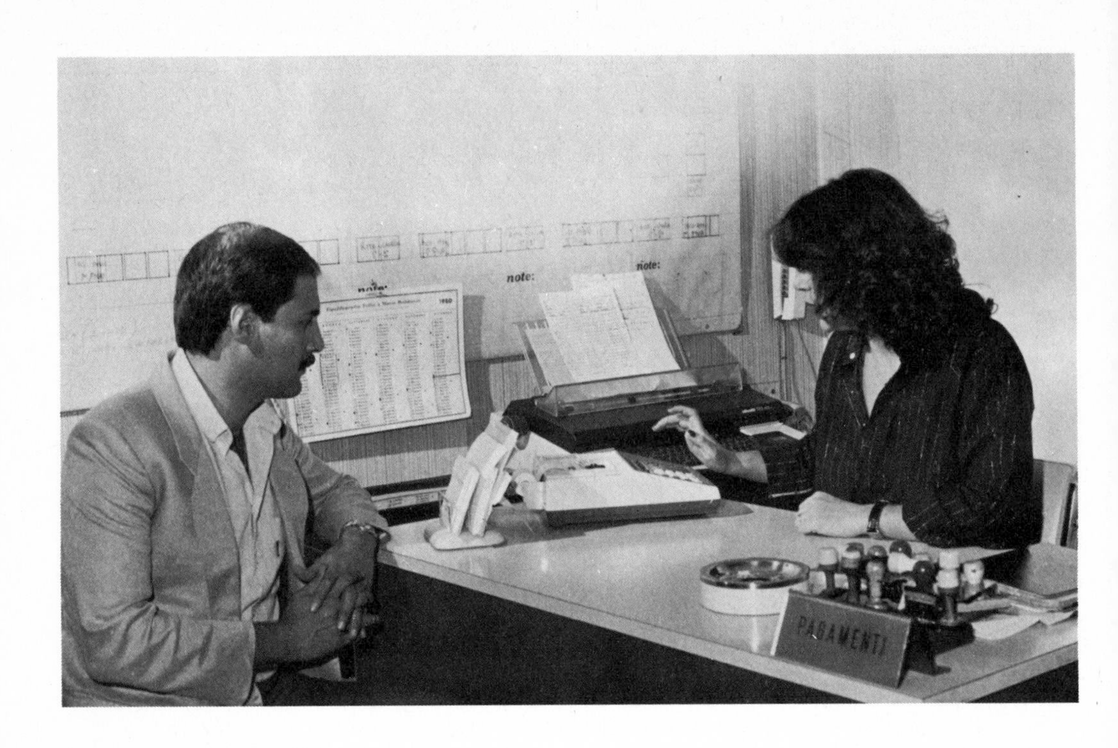

ATTIVITÀ 3

ESERCIZIO

Sotto c'è una lista di nazioni. Assicurati di riconoscerle. Poi assegna ad ognuna la propria valuta scrivendo accanto il relativo numero che si trova nella tavola dell'attività 5.

FRANCIA .....
OLANDA .....
NORVEGIA .....
AUSTRIA .....

SVEZIA .....
STATI UNITI .....
GRAN BRETAGNA .....
DANIMARCA .....

SVIZZERA .....
GERMANIA .....
CANADA .....
IRLANDA .....

ATTIVITÀ 4

ESERCIZIO

Scrivi al plurale la lista di valute estere della tavola dell'attività 5.

1. ....
2. ....
3. ....
4. ....
5. ....
6. ....
7. ....
8. ....
9. ....
10. ....
11. ....
12. ....

Badate bene: **la** *c* **delle parole** *franco, marco* **e** *tedesco* **rimane dura al plurale. Per questo si scrive** *chi. Ci* **si pronuncerebbe dolce.**

ATTIVITÀ 5

ESERCIZIO

Lavora con un compagno. Riprendete molte volte la conversazione dell'attività 2 sfruttando la tavola qui sotto.

I CAMBI DELLA LIRA		
VALUTA ESTERA	CAMBIO	
1. Sterlina	1.840	(Ne hai 75)
2. Dollaro (USA)	1.273	(Ne hai 150)
3. Dollaro canadese	1.044	(Ne hai 170)
4. Marco tedesco	537	(Ne hai 320)
5. Fiorino olandese	490	(Ne hai 350)
6. Franco francese	210	(Ne hai 730)
7. Lira irlandese	1.900	(Ne hai 80)
8. Corona danese	160	(Ne hai 900)
9. Corona norvegese	213	(Ne hai 780)
10. Corona svedese	225	(Ne hai 720)
11. Franco svizzero	678	(Ne hai 1.600)
12. Scellino austriaco	76	(Ne hai 3.000)

Badate bene: **nella 2ª battuta** *delle* **diventa** *dei* **davanti a parole maschili tranne davanti a quelle che cominciano con** *s* **seguita da una consonante (***scellini***). In questo caso diventa** *degli. Quante* **deve accordarsi con la valuta.**

ATTIVITÀ 6

Lavora come nelle altre unità.
Il cliente continua a parlare con l'impiegata. *Attenzione:* **nella conversazione si parla di** *residenza.* **In Italia ogni persona ha un indirizzo ufficiale registrato che viene chiamato** *residenza* **e che può essere differente da quello in cui si abita veramente.**

Indica che tratterà un nuovo argomento.
Chiede informazioni **per aprire un conto corrente.**

CLIENTE: ....

....

....

....

IMPIEGATA: **Sì. Vuole farlo adesso?**

Risponde alla domanda (tra qualche giorno).
Ribadisce la richiesta d'informazioni.

CLIENTE: ....

....

....

....

IMPIEGATA: **Lei è residente qui a Roma?**

Risponde alla domanda (Bologna).
Esprime un timore.

CLIENTE: ....

....

IMPIEGATA: **Eh sì. In quanto, se lei non è residente, non può aprire un conto corrente.**

Accoglie l'informazione.
Spiega il suo stato attuale (circa due anni a Roma), ***esprime un'intenzione*** **(trasferire la residenza),** ***esprime incertezza*** **sul quando.**

CLIENTE: ....

....

....

....

....

....

....

ATTIVITÀ 7

Leggi rapidamente e molte volte le tre lettere riportate in questa e nelle pagine successive. Una è una richiesta di informazioni e due sono lettere di risposta. Individua qual è la richiesta di informazioni e la lettera di risposta relativa.

NEW YORK, 16.2.19...

Spett.le Banca Nazionale dell'Agricoltura
Agenzia n° 6
Piazza Indipendenza
00185 R O M A

Nel mese di Maggio di quest'anno mi trasferirò a Roma per ragioni di lavoro per un periodo di tre anni.

Avrei quindi l'intenzione di aprire un conto presso una banca. Vi sarei pertanto grato se voleste fornirmi delle informazioni riguardo ai tipi di conto e ai relativi interessi.

In attesa di una sollecita risposta, vogliate gradire i miei distinti saluti.

Banca Nazionale dell' O

SOCIETÀ PER AZIONI - CAPITALE L. 16.000.000.000 INTERAMENTE VERSATO - RISERVE L

SEDE SOCIALE E DIREZIONE GENERALE: ROMA

ISCR. CANC. TRIB. ROMA N.

Roma, 17.3.19...

Sig. John Stone
409 E 87 Str. Apt. 3D
N E W Y O R K

Egregio Sig. Stone,

in riferimento alla Sua del 16 febbraio u.s. siamo lieti di fornirLe le informazioni richiesteci.

Per quanto riguarda l'apertura di un conto esistono tre possibilità:

a) - Conto corrente con libretto di assegni con interesse variabile dall' 8% al 12% lordo.
b) - Deposito con libretto al portatore con interesse variabile dal 9,50% all'11% lordo.
c) - Deposito con libretto nominativo con interesse variabile dal 9,50% all'11% lordo.

Vorremmo nell'occasione informarLa che per la legge italiana è impossibile aprire un conto corrente senza essere in possesso della residenza.

Ci consideri a Sua completa disposizione per qualsiasi ulteriore informazione.

La ringraziamo anticipatamente per la fiducia che vorrà accordarci.

Distinti saluti.

Il Direttore

Banca Nazionale dell'...

SOCIETÀ PER AZIONI - CAPITALE L. 16.000.000.000 INTERAMENTE VERSATO - RISERVE
SEDE SOCIALE E DIREZIONE GENERALE: ROMA
ISCR. CANC. TRIB. ROMA N.

Roma, 19.4.19...

Sig. Charles Edwards
22 West 76 Street
NEW YORK N.Y. 10023

Egregio Sig. Edwards,

siamo lieti di fornirLe i chiarimenti da Lei richiestici sulle modalità di apertura di un deposito a risparmio presso la nostra banca.

Per procedere all'operazione è necessario innanzitutto che Lei sia residente nella nostra città. Inoltre, come Lei ha giustamente accennato nella Sua lettera, ci sono due tipi di deposito:

- con libretto nominativo
- con libretto al portatore.

Le sconsigliamo di scegliere la seconda possibilità in quanto, se Lei smarrisse il libretto, chi lo trova potrebbe ritirare piuttosto facilmente il Suo deposito.

L'interesse lordo è del 9,25% a meno che Lei non voglia vincolare il Suo deposito, nel qual caso la percentuale aumenterebbe in proporzione alla durata del vincolo.

Augurandoci di averLa presto fra i nostri clienti, La ringraziamo anticipatamente per la fiducia che vorrà accordarci.

Distinti saluti.

Il Direttore

ATTIVITÀ 8

LETTURA INTENSIVA - ESERCIZIO

Cerca di completare le seguenti frasi. Poi guarda la lettera n. 1 dell'attività 7 e correggi.

Nel mese di maggio mi .... a Roma .... lavoro. .... quindi .... aprire un conto .... una banca. Vi .... pertanto .... se .... fornirmi delle informazioni .... tipi di conto. .... una sollecita risposta, ... gradire i miei distinti saluti.

ATTIVITÀ 9

PRODUZIONE LIBERA SCRITTA

Scrivi la lettera di richiesta di informazioni relativa alla lettera della banca da te eliminata nell'attività 7.
Non dimenticare data, indirizzi, ecc.

ATTIVITÀ 10

DRAMMATIZZAZIONE LIBERA

Lavorate in coppie. Preparate una scenetta in banca. Uno dei due vuole cambiare dei soldi e chiedere informazioni per l'apertura di un conto. L'altro è l'impiegato. Lavorate come nell'attività 7 della 4ª Unità.

ATTIVITÀ 11

Leggi il pro-memoria del signor Stone riguardo ad un suo prossimo soggiorno in Italia.

2

- Trasferimento a Roma
- Partenza da New York a maggio
- Arrivo a Roma il 20
- Cercare casa
- Cambiare residenza
- Andare in banca
- Parlare con il direttore
- Aprire un conto corrente
- Cambiare 2.000 dollari
- Versare i soldi

Febbraio
février
february
februar

s. Leandro

Mercoledì
mercredi
wednesday
mittwoch

ATTIVITÀ 12

ESERCIZIO

Scrivi le intenzioni del signor Stone aiutandoti con la tabella 'Hai notato....?'

1. (trasferirsi) **Mi trasferirò** a Roma .... qualche mese.
2. (partire) .... da New York .... mese di maggio.
3. (arrivare) .... Roma verso il 20.
4. (cercare) .... casa.
5. (cambiare) .... la mia residenza alla fine .... mese.
6. (andare) .... alla banca nel mese .... giugno.
7. (parlare) .... con il direttore .... banca.
8. (aprire) .... un conto corrente.
9. (cambiare) .... 2.000 dollari in lire italiane.
10. (versare) .... i soldi sul mio conto.
11. (essere) .... a Roma .... 4 anni circa.
12. (tornare) .... America.
13. (estinguere) .... il conto prima di partire.

ATTIVITÀ 13

PRODUZIONE LIBERA SCRITTA

Scrivi le tue intenzioni riguardo a un tuo prossimo viaggio in Italia come hai visto nell'attività 12 (usa il futuro).

ATTIVITÀ 14

Un cliente è in una banca a Torino e parla con un impiegato. Lavora come nella attività 1 di questa unità.

1. Vuole trasferire il suo conto corrente da.....
   Palermo □ Bologna □ Napoli □ Roma □
2. E' residente a Torino □ Non è residente a Torino □
3. Vuole riscuotere un assegno del valore di....
   100.000 lire □ 200.000 lire □ 300.000 lire □
4. Il numero di franchi svizzeri che vuole cambiare è.....
   200 □ 300 □ 400 □ 500 □
5. Il cambio del franco svizzero è....
   502 lire □ 402 lire □ 522 lire □ 422 lire □
6. Il cliente si chiama.....
   Mario Francini □ Mario Franchini □

HAI NOTATO ....?

.... la 1ª persona singolare del **FUTURO**

-ARE/ - ERE — -IRE

arriverò — **trasferirò**

estinguerò

IRREGOLARI

verrò (venire)

farò (fare)

sarò (essere)

.... la 1ª persona singolare del **CONDIZIONALE** del verbo **volere** in:

vorrei cambiare delle sterline

vorrei sapere qual è il cambio

vorrei delle informazioni

.... la 1ª persona singolare del **PASSATO PROSSIMO** dei verbi **-ire.**

Per esempio: **ho capito**

.... le **PREPOSIZIONI TEMPORALI tra** e **per.**

per due anni (indica un periodo di due anni).

tra due anni (significa: due anni dopo il momento in cui si parla).

.... che la parola **qualche** è singolare anche se concettualmente è plurale.

Mi trasferirò a Roma tra **qualche** mese.

LESSICO

il cambio
la sterlina
la cassa
il conto corrente
la residenza

cambiare
aprire
capire
trasferire
partire
arrivare

residente

abbastanza
intanto
in quanto
adesso
circa
quindi
esattamente

8ª unità COMPRARE ARTICOLI DI ABBIGLIAMENTO

Un cliente compra degli articoli di abbigliamento.

ATTIVITÀ 1

Ascolta molte volte la conversazione e completa la tabella che riguarda gli articoli che compra.

ARTICOLO	TESSUTO	MISURA	COLORE	PREZZO
Pantaloni				
Camicia				
Cravatta				

ATTIVITÀ 2

Lavora come nelle altre unità.

Esprime un desiderio (vedere pantaloni).	CLIENTE:	....
	COMMESSA:	**Di velluto, bene. Su quale colore è orientato?**
Dà un'indicazione (verde, marrone).	CLIENTE:	....
	COMMESSA:	**Sì. Vediamo un attimo.... Ecco, per esempio questo tipo qua?**
Chiede di fare qualcosa (mostrare). *Esprime un giudizio positivo.*	CLIENTE:	....
	COMMESSA:	**Che misura ha lei?**
Risponde alla domanda (48).	CLIENTE:	....

ATTIVITÀ 3

ESERCIZIO

Lavora con un compagno. Riprendete tante volte la conversazione dell'attività 2, servendovi dei disegni della pagina seguente (assicuratevi di riconoscere i colori ed i tessuti).

CAMICIA, IMPERMEABILE, VESTITO, CALZINI, PANTALONI, GIACCA, CAPPOTTO

Altri colori	**Altri tessuti**
nero	flanella
grigio	lana
	cotone

ATTIVITÀ 4

DETTATO

Lavora con un compagno.

Ascoltate parecchie volte la registrazione cercando di completare questa conversazione. Ad ogni gruppo di puntini corrisponde una parola.

CLIENTE: .... **anche** .... **una** .... **di flanella** .... **marrone.**

COMMESSA: ....

CLIENTE: **Dovrei portare** .... **sedici, ma** .... **ne sono sicuro, eh?**

COMMESSA: **D'accordo. Ma** .... **c'è** .... **perché abbiamo tutte le** ....
Allora .... **, c'è questo** .... **qui che dovrebbe** ....
bene con questi ....

CLIENTE: **Sì,** .... **è** .... **carina.** .... **andare** ....

eh? **significa** *capito?* **e si usa spesso dopo aver dato informazioni.**

ATTIVITÀ 5

"PRO E CONTRO,,

Sentirai un dibattito radiofonico. La moderatrice all'inizio dice così:

Tirando un po' le somme di quella che è stata la stagione turistica in Italia, parliamo di un fenomeno che quest'anno ha raggiunto livelli molto alti, direi. Parliamo, cioè, di un certo tipo di turismo giovanile, soprattutto giovanile, che consiste nel partire con pochi soldi o quasi niente, uno zaino, un sacco a pelo, e nell'andare il più lontano possibile. Questo fenomeno ha determinato opinioni contrastanti, e abbiamo invitato oggi, a trattare il tema, due giornalisti che hanno appunto opinioni, mi sembra, contrastanti sul tema. Abbiamo Ugo de Cesari e Alessandro Cerri.

A. Formate dei gruppi di circa quattro persone. La metà dei gruppi costituiti dovrà, ascoltando tante volte la registrazione, concentrarsi sulle argomentazioni di Ugo de Cesari e appuntarne il maggior numero possibile man mano nel quaderno.
Alternate all'ascolto momenti di socializzazione delle argomentazioni prese. Durante la socializzazione ogni membro di ciascun gruppo dovrà appuntare le argomentazioni che gli mancano in modo da avere, alla fine, la somma delle argomentazioni prese da ciascuno nel gruppo.
L'altra metà dei gruppi lavorerà nello stesso modo concentrandosi, però, sulle argomentazioni di Alessandro Cerri.

B. DISCUSSIONE LIBERA

Al via dell'insegnante ogni gruppo che ha trattato le argomentazioni di Ugo de Cesari deve mettersi con un gruppo che ha trattato le argomentazioni di Alessandro Cerri, formando così gruppi di circa 8 persone. All'interno del gruppo discutete liberamente sul tema, esprimendo le vostre opinioni.

ATTIVITÀ 6

ESERCIZIO

Lavora con un compagno. Riprendete tante volte le prime tre battute della conversazione dell'attività 4, servendovi degli elementi dell'attività 3.

ATTIVITÀ 7

a) Leggi questo articolo e scrivi 2 domande sul suo contenuto.

1

2

3

Se ne vedono di tutti i colori

Tavolozza impazzita anche per il maschio dell'estate Ottanta: colori accecanti mischiati senza prudenza ma con risultati piacevoli e inaspettati.

1 - Pantaloni di cotone rigato (Martin Guy, 25 mila lire circa), giubbotto di lino (Tini Bagattini per Eccetera) e T-shirt a righe larghe (Wrangler, 15 mila lire circa).

2 - Giacca a quadri (Daily Blue, 85 mila), pantaloni di tela gialla con tascone sui fianchi (Sisley, 25 mila circa), polo gialla (John Smedley, 36 mila), scarpe di cuoio con suola di gomma (Garlando).

3 - Giacca rigata con stemma sul taschino (Kamikaze, 90 mila), pantaloni (Pooh, 20 mila circa), polo di cotone (Wrangler, 18 mila circa), scarpe stringate (45 mila).

4 - Pantaloni rigati (Martin Guy, 25 mila lire circa), sahariana bluette (Sisley) e polo rigata (Wrangler). Mocassini Garlando.

Indirizzi: Garlando, via Madonnina 2, Milano; *Martin Guy* da Biffi in corso Genova a Milano e in via Tiraboschi a Bergamo; *Sisley e Wrangler* nei migliori negozi.

b) In gruppi di 4 discutete e correggete la grammatica delle vostre domande.

c) *"QUIZ„* **Mettetevi di fronte ad un altro gruppo e, a turno, fate le vostre domande oralmente all'altro gruppo. Per ogni risposta che contiene l'informazione giusta, il gruppo guadagna un punto. Se la grammatica della domanda è sbagliata (è l'insegnante che decide) il gruppo perde un punto.**

RIASSUNTO GRAMMATICALE

I. VERBI

A. PRESENTE INDICATIVO

1. VERBI IN -IRE (a)

(io) **gradisco**	(noi) **gradiamo**
(tu) **gradisci**	(voi) **gradite**
(lui/lei) **gradisce**	(loro) **gradiscono**

(Anche *CAPIRE, TRASFERIRE*)

2. VERBI IN -IRE (b)

(io) **apro**	(noi) **apriamo**
(tu) **apri**	(voi) **aprite**
(lui/lei) **apre**	(loro) **aprono**

(Anche *PARTIRE*)

3. VERBI IRREGOLARI

FARE

(io) **faccio**	(noi) **facciamo**
(tu) **fai**	(voi) **fate**
(lui/lei) **fa**	(loro) **fanno**

DARE

(io) **do**	(noi) **diamo**
(tu) **dai**	(voi) **date**
(lui/lei) **dà**	(loro) **danno**

SAPERE

(io) **so**	(noi) **sappiamo**
(tu) **sai**	(voi) **sapete**
(lui/lei) **sa**	(loro) **sanno**

B. PASSATO PROSSIMO

1. VERBI IN -ARE

CHIAMARE

(io) **ho chiamato**	(noi) **abbiamo chiamato**
(tu) **hai chiamato**	(voi) **avete chiamato**
(lui/lei) **ha chiamato**	(loro) **hanno chiamato**

2. VERBI IN -IRE

CAPIRE

(io) **ho capito**	(noi) **abbiamo capito**
(tu) **hai capito**	(voi) **avete capito**
(lui/lei) **ha capito**	(loro) **hanno capito**

3. VERBI RIFLESSIVI

PRESENTARSI

(io) **mi sono presentato/a**	(noi) **ci siamo presentati/e**
(tu) **ti sei presentato/a**	(voi) **vi siete presentati/e**
(lui/lei) **si è presentato/a**	(loro) **si sono presentati/e**

II. PREPOSIZIONI

1. ARTICOLATE

MASCHILI

di + il = **del**	in + il = **nel**	a + il =**al**
di + l' = **dell'**	in + l' = **nell'**	a + l' =**all'**
di + lo = **dello**	in + lo = **nello**	a + lo =**allo**
di + i = **dei**	in + i = **nei**	a + i =**ai**
di + gli = **degli**	in + gli = **negli**	a + gli =**agli**

FEMMINILI

di + la = **della**	in + la = **nella**	a + la =**alla**
di + l' = **dell'**	in + l' = **nell'**	a + l' =**all'**
di + le = **delle**	in + le = **nelle**	a + le =**alle**

SEMPLICI
1. Vado **in** vacanza **tra** una settimana.
2. Mi trasferirò **in** provincia.
3. Sarò a Roma **per** un mese.
4. Sono residente **a** Milano **da** tre anni.
5. Ha parlato **con** il signor Marchetti.
6. Ho chiamato **per** chiedere il suo indirizzo.

TEST

1. Scrivi la forma esatta dei verbi al presente.

a) Lei mi **(capire)** .... quando parlo?

b) Io **(partire)** .... per Londra fra una settimana.

c) Loro non **(capire)** .... niente.

d) Che cosa **(fare)** ...., Lei?

e) Noi non **(sapere)** .... come si chiama.

f) Mi **(dare)** .... un libretto di assegni, per favore?

g) Lei **(gradire)** .... un caffè?

2. Completa questo pro-memoria un po' fantastico del signor Marchetti, mettendo i verbi alla prima persona singolare del futuro.

(cambiare) .... la mia vita. **(trasferirsi)** .... a Tahiti. Lì **(fare)** .... tutto ciò che mi piace. **(lasciare)** .... il mio appartamento a Roma, **(partire)** .... con l'aereo e non **(tornare)** .... mai più a Roma. A Tahiti **(essere)** .... una persona completamente nuova. **(cercare)** .... una caverna nella montagna e non **(parlare)** .... con nessuno.

3. Segue una parte di una lettera in cui Mario Penelli racconta delle cose ad un suo amico. Completala scrivendo i verbi al passato prossimo.

(partire) .... da Roma due settimane fa e **(trasferirsi)** .... a Londra. **(presentarsi)** .... alla Banca Nazionale del Lavoro a Londra e **(parlare)** .... con il direttore. Lui **(accettare)** .... di farmi un prestito di 500 sterline. **(cercare)** .... quindi una casa vicino alla stazione Victoria. **(capire)** .... poi il sistema inglese. Non **(trasferire)** .... la residenza perché in Inghilterra non hanno questo concetto.

4. Scrivi le preposizioni appropriate.

a) Si sente che lei è .... Milano.

b) C'è un telefono .... camera.

c) Lei è un ospite .... albergo?

d) Ci siamo presentati .... bar.

e) New York è .... Stati Uniti.

f) Partiamo .... dieci e trenta.

g) Siamo .... vostro servizio .... l'insegnamento .... lingue.

h) L'indirizzo .... tabaccheria è via dello Statuto 5.

i) Non mi piace il fumo .... pipa.

l) Abito .... Marche.

m) Partirò per le vacanze .... mese di settembre.

n) Piero studia .... università di Torinò.

o) .... signorina non piace la pasta .... uovo.

5. Completa queste conversazioni.

a) In banca

CLIENTE: ....

IMPIEGATO: **Il cambio del dollaro? Vediamo un po' .... Ecco, 840. Va bene?**

CLIENTE: ....

IMPIEGATO: **Quanti dollari ha?**

CLIENTE: ....

IMPIEGATO: **Va bene. Si accomodi alla cassa.**

CLIENTE: ....

b) Al ristorante dell'albergo.

STUDENTE: ....

SIGNORA: **Certo. Prego. Si accomodi. E' un ospite dell'albergo anche lei?**

STUDENTE: ....

SIGNORA: **Io invece sono qui solo da 2 giorni. Ma lei non è italiano, vero?**

STUDENTE: ....

SIGNORA: **Di Torino. Per quanto tempo sarà in Italia, lei?**

STUDENTE: ....

SIGNORA: **E che cosa farà in Italia?**

STUDENTE: ....

c) Al telefono con il centralinista dell'albergo.

CENTRALINISTA: **Pronto, mi dica.**

STUDENTE: ....

CENTRALINISTA: **Sì. Mi dà il numero?**

STUDENTE: ....

CENTRALINISTA: **Ah, va bene. Le passo la linea allora.**

STUDENTE: ....

CENTRALINISTA: **Per Milano? 02. Ecco la linea.**

STUDENTE: ....

CENTRALINISTA: **Prego. Buonasera.**

d) Al bar dell'albergo prima di cena. (La conversazione avviene tra te ed un altro ospite dell'albergo).

OSPITE: **Buonasera. Anche lei è ospite qui?**

TU: ....

OSPITE: **Piacere. Io mi chiamo Marini, Giulio Marini.**

TU: ....

OSPITE: **Di Perugia. E lei?**

TU: ....

OSPITE: **No, grazie. Non fumo.**

TU: ....

OSPITE: **Grazie. Prendo un martini bianco.**

TU: .... (Al barista) ....

(All'ospite) ....

OSPITE: **Grazie. Cin cin.**

TU: ....

OSPITE: **Sarò qui per due settimane, e lei?**

TU: ....

OSPITE: **Va bene. Andiamo.**

9ª unità STABILIRE RAPPORTI DI AMICIZIA

Stefano ed Elisa s'incontrano ad una festa a Roma.

ATTIVITÀ 1

Lavora come nelle altre unità. Metti una croce nella casella appropriata.

Elisa

1. Elisa è di...... Roma ☐ Perugia ☑.
2. Abita a Roma ...... da 5 anni ☐ da 5 mesi ☑.
3. Studia ☑ Lavora ☐.
4. E' stato..... facile ☐ difficile ☑ ... trovare un appartamento.
5. Abita... al centro ☐ sulla Cassia ☑.
6. Per lei Roma è... caotica ☑ calma ☐.
7. Vuole ☑ Non vuole ☐ ... rimanere a Roma.
8. Per lei fare amicizia con i Romani è... facile ☐ difficile ☑.
9. E' stata invitata da... Paolo ☑ Piero ☐.

Stefano

10. Stefano insegna in... un liceo classico ☑ una scuola media ☐.
11. Il suo lavoro gli piace... molto ☐ abbastanza ☑.
12. E' nato a... Roma ☑ Milano ☐.
13. Pensa che i Romani siano... chiusi ☐ aperti ☑.

ATTIVITÀ 2

Lavora come nelle altre unità.

Stefano ed Elisa, che si conoscono pochissimo, hanno appena finito di ballare. Elisa è manifestamente felice.

Chiede una conferma **(ballare).**	STEFANO: ....
	ELISA: **Molto.**
Ribadisce che è manifesto. ***Fa un complimento*** **(energia).**	STEFANO: ....
	ELISA: **Quando ballo.**
Nega questa limitazione al suo complimento. Ribadisce. Chiede la conferma riguardo la provenienza.	STEFANO: ....
	ELISA: **No, non sono di Roma. Si sente?**
Risponde in un modo quasi negativo.	STEFANO: ....

ATTIVITÀ 3

ESERCIZIO

Lavora con un compagno. Riprendete la prima metà (fino a *quando balla***) della conversazione dell'attività 2 sostituendo** *ballare* **con le altre attività rappresentate qui sotto.**

I nomi delle attività sono in ordine sbagliato.

Giocare a tennis, sciare, nuotare, pattinare, andare in bicicletta, correre, fare ginnastica, giocare a ping pong, andare a cavallo.

ATTIVITÀ 4

Lavora come nelle altre unità.

Stefano ed Elisa stanno parlando insieme da parecchi minuti e parlano ancora *al formale.* **Stefano sente che è ora di stabilire un rapporto più confidenziale.**

Indica che vuole trattare un nuovo argomento. Fa una proposta non specificata.

STEFANO: Senta, facciamo una cosa

ELISA: **Sì?** facciamo una cosa.

Propone **di passare dal 'formale' al 'confidenziale'.**

STEFANO: Vorrei farLe una cosa. Invece di dire "Lei," perchè non ci diamo del tu?

ELISA: **Ah benissimo. Sono d'accordo. Come no.**

Propone di cominciare subito. ***Si ricorda*** **che non si sono presentati.**

STEFANO: Cominciamo subito. È poi, non ci siamo presentati. Non sapiamo (sp?) neanche i nostri nomi.

ELISA: **E' vero.**

Rileva una mancanza di conoscenza reciproca (nomi). Si presenta.

STEFANO: Io mi chiamo S.

ELISA: **Ed io mi chiamo Elisa.**

ATTIVITÀ 5

ESERCIZIO

Alzati e va' da un altro studente. Riprendete la conversazione dell'attività 4 servendovi dei vostri nomi reali. Ripetete l'esercizio parecchie volte, ogni volta con uno studente diverso.

ATTIVITÀ 6

Franco e Rita s'incontrano ad una festa a Napoli. Lavora come nell'attività 1 di questa unità.

Franco

1. Franco è di...... Napoli ☐ Roma ☐.
2. È a Napoli per...... studio ☐ lavoro ☐.
3. Va ☐ Non va ☐... spesso alle feste a Napoli.
4. Pensa che i Napoletani siano.... più egoisti ☐ meno egoisti ☐ ... di altri.
5. Vive... in albergo ☐ in un appartamento ☐.
6. Passa la fine settimana a... Roma ☐ Napoli. ☐.

Rita

7. Rita è di... Napoli ☐ Roma ☐.
8. Vuole ballare con... musica lenta ☐ musica scatenata ☐.

ATTIVITÀ 7

Leggi rapidamente e molte volte questa lettera.

Rispondi alle domande in fondo alla pagina.

Roma, 14/8/19...

Cara Francesca,

finalmente ti scrivo per raccontarti qualcosa di veramente piacevole (per me, naturalmente) da quando sono a Roma. Il fatto è che sono finalmente riuscita ad entrare in un vero gruppo di giovani. Come? Ti spiego: ti ricordi di Paolo? Ti ho parlato di lui qualche tempo fa. Bene; lui ha veramente tanti tanti amici e fra questi un certo Marco che ieri sera ha fatto una festa a casa sua. Io sono stata invitata e mi sono divertita un sacco. Dopo tanto tempo ho ballato come una scatenata, ho riso da morire, ho bevuto (forse un po' troppo) e mangiato insieme a tante persone e infine, dulcis in fundo, ho conosciuto Stefano, un professore di storia e filosofia simpaticissimo.

Ho conversato con lui per circa due ore di seguito e sono rimasta colpita dal suo interesse nei miei confronti. Tutto quello che diceva era comunque interessante e sono stata ad ascoltarlo con molto piacere. Quando la festa è finita è uscito con me e salutandomi mi ha chiesto di incontrarci di nuovo. Sono contenta di questo e forse si capisce da come l'ho scritto.

Bene, ora devo cominciare a studiare, perciò ti saluto e ti abbraccio. Scrivimi.

Ciao

Elisa

a) Ad Elisa è piaciuta la festa? SI' ☑ NO ☐

b) Perché? ....

....

....

ATTIVITÀ 8

LETTURA INTENSIVA

Guarda la lettera dell'attività 7. Ci sono molti esempi di verbi al *passato prossimo*. Se ne possono distinguere due tipi: (a) i verbi che richiedono l'ausiliare *essere* e (b) i verbi che richiedono l'ausiliare *avere*. Scrivili nelle due colonne sottostanti a seconda del caso:

ESSERE	AVERE
sono riuscita	ho parlato
SONO STATA INVITATA	ha fatto (una festa)
mi sono divertita	ho ballato
sono rimasta (colpita)	ho riso, ho bevuto
sono stata	(ho) mangiato, ho
è finita; è uscito	conosciuto, ho conversato
? (sono contenta)	ha chiesto; ho scritto

Nota che il participio passato (per es.: riuscita) del primo tipo si accorda con il soggetto a differenza di quello del secondo tipo.

ATTIVITÀ 9

ESERCIZIO

A volte, in italiano, per essere più *teatrali*, si racconta un avvenimento passato usando il presente. Segue un racconto di questo tipo. Leggilo e poi riscrivilo sul tuo quaderno nel modo più comune, cioè al passato prossimo (*).

*** Tranne:** *sa* **che diventa** *sapeva* **(imperfetto)**
sono **che diventa** *ero* **(imperfetto)**
sta **che diventa** *stava* **(imperfetto)**

«..... allora rientro in casa e le dico di prepararsi. Lei rimane colpita dal mio cambiamento e mi guarda incredula; non sa se prendermi sul serio o no. Si siede e aspetta una mia conferma. Le spiego che sono serissimo. A questo punto lei diventa rossa, si alza di scatto, esce dalla cucina, e mi sbatte la porta in faccia. La sento correre nella sua stanza. Dopo un po' vado da lei e la trovo seduta sul tappeto con le spalle verso di me. Mi avvicino e vedo che sta rompendo con una calma crudele l'ultima bambola che le avevo regalato.....»

ATTIVITÀ 10

PRODUZIONE LIBERA SCRITTA

Scrivi circa mezza pagina per completare il racconto che hai scritto sul tuo quaderno (attività 9).

ATTIVITÀ 11

PRODUZIONE LIBERA SCRITTA

Immagina di essere stato ad una festa, ieri sera, e scrivi una lettera ad un amico per raccontargli le tue impressioni.

ATTIVITÀ 12

DETTATO

Lavora con un compagno. Ascoltate parecchie volte la registrazione cercando di completare questa conversazione. Ad ogni gruppo di puntini corrisponde una parola.

STEFANO: .... **sono insegnante** .... **filosofia e storia** .... **un liceo classico qui** .... **Roma.**

ELISA: **Ah! E** .... **piace** .... **lavoro?**

STEFANO: ...., **abbastanza. Per ora, almeno. Poi non** .... **so, perché a me** .... **cambiare spesso.**

ELISA: **Ah,** .... **capito. Ma tu** .... **romano romano?**

STEFANO: ...., **romano.** .... **di genitori** ....**.**

ATTIVITÀ 13

ASCOLTO INTENSIVO FONOLOGICO

Lavora con un compagno sul testo dell'attività 12. Seguite le istruzioni dell'attività 12 della 6ª Unità.

ATTIVITÀ 14

DRAMMATIZZAZIONE LIBERA

Lavora con un compagno. Preparate una scenetta. Vi incontrate ad una festa; ballate, bevete e parlate insieme. All'inizio parlate *al formale* e dopo un po' trasformate la vostra conversazione in una conversazione confidenziale. Lavorate come nell'attività 7 della 4ª Unità. Se usate la fantasia la conversazione durerà ben 5 minuti.

HAI NOTATO ....?

.... la costruzione del verbo **piacere** in:
ti piace questo lavoro?
in cui la persona è l'oggetto indiretto del verbo e *QUESTO LAVORO* è il soggetto.

.... la **FORMA PASSIVA**
(ciò) **si vede** (ciò) **si sente**

.... l'uso di **a lei, a me,** ecc. invece di le, mi, ecc. come oggetto indiretto in:
a lei piace ballare **a me** piace cambiare spesso
che indica una distinzione.

.... l'uso di "....., **è vero?**" alla fine di un'affermazione, per chiedere la conferma.

.... la **FORMA "RECIPROCA"**
ci diamo del tu
(che significa: *IO DO A TE E TU DAI A ME*)

.... la prima persona plurale **dell'imperativo** come proposta:
facciamo una cosa
cominciamo da subito

.... il **RADDOPPIAMENTO DELL'AGGETTIVO** in:
tu sei **romano romano**
che significa *VERAMENTE ROMANO*

.... la costruzione **INVECE + DI + INFINITO** in:
invece di dire lei, **..........**

LESSICO

ballare
piacere
credere
sbagliarsi
cominciare
sentire

vero
ricco
classico
romano

energia
lavoro
insegnante
genitori

sempre
solo
appena
subito
a proposito
abbastanza
per ora
spesso

10ª unità PRENDERE IL TRENO

Una signora parla con un impiegato alla biglietteria della stazione.

ATTIVITÀ 1

Lavora come nelle altre unità. **Completa la tabella e rispondi alle domande.**

DESTINAZIONE	PREZZO		ORA DI PARTENZA DA ROMA	ORA DI ARRIVO
	1ª CLASSE	2ª CLASSE		

1. La signora vuole dei biglietti 'andata e ritorno' o soltanto 'andata'?

   ....

2. Quanti biglietti vuole? ....

3. Vuole cuccette o no? ....

4. Per quanto tempo è valido un biglietto? ....

5. Dove deve andare per la prenotazione? ....

ATTIVITÀ 2

Lavora come nelle altre unità.

Richiama l'attenzione. Formula una richiesta (due biglietti - Zurigo).	SIGNORA:	
	IMPIEGATO:	**Di prima o di seconda?**
Risponde alla domanda (seconda). Chiede informazioni.	SIGNORA:	
	IMPIEGATO:	**Di prezzo?**
Risponde alla domanda.	SIGNORA:	
	IMPIEGATO:	**Dunque. Di seconda viene 70.000 lire andata e ritorno; di prima viene 120.000 lire. Vuole 'andata e ritorno' o soltanto 'andata'?**
Risponde alla domanda (andata e ritorno).	SIGNORA:	

ATTIVITÀ 3

ESERCIZIO

Lavora con un compagno. Ripetete tante volte la conversazione dell'attività 2, variando gli elementi presi dalle liste qui sotto.

	PRIMA	SECONDA
VIENNA	140.000	90.000
MILANO	45.000	28.000
BOLOGNA	35.000	19.600
PARIGI	150.000	109.000
NAPOLI	24.100	12.200
PALERMO	78.000	36.500
TORINO	51.000	30.000
GENOVA	39.900	21.700

ATTIVITÀ 4

DETTATO

Lavora come nell'attività 6 della 6ª Unità.

SIGNORA: **A .... ora ci sono .... partenze?**

IMPIEGATO: **C'è soltanto .... treno da .... al .... Parte la .... alle .... e venti e arriva .... Zurigo la .... successiva .... nove e ....**

SIGNORA: **Ho .... Allora di .... non .... nessuna .... ?**

IMPIEGATO: **Diretto .... L'unica .... è .... la coincidenza a ....**

SIGNORA: **Quindi bisogna cambiare .... ?**

IMPIEGATO: ....

SIGNORA: **Ma ci vuole .... più .... ?**

IMPIEGATO: **Dunque, da Roma ci vogliono .... ore, come lei vede. Invece .... a .... forse ci metterà un'oretta di ....**

ATTIVITÀ 5

ASCOLTO INTENSIVO FONOLOGICO

Segna le pause e gli accenti nella conversazione dell'attività 4 lavorando come hai fatto nell'attività 12 della 6ª Unità.

ATTIVITÀ 6

ESERCIZIO

Lavorate in coppia. Riprendete molte volte le prime tre battute della conversazione dell'attività 4 fino a Ho capito **servendovi del tabellone degli orari qui sotto. Attenzione: la seconda battuta varia in:**
C'è un treno che parte alle ...... e arriva alle ...... ed un altro alle ...... che arriva alle ......
quando c'è più di un treno al giorno.

STAZIONE TERMINI – ROMA		
ORA PARTENZA	DESTINAZIONE	ORA ARRIVO
8.00	BOLOGNA	12.35
8.15	PALERMO	19.05
8.20	MILANO	15.55
8.40	PERUGIA	10.37
9.00	BOLOGNA	13.40
9.10	NAPOLI	11.30
9.17	LECCE	15.10
9.29	PARIGI	02.55
9.36	NAPOLI	12.05
9.45	PALERMO	20.55
9.56	FIRENZE	13.10
10.00	BOLOGNA	14.35

ATTIVITÀ 7

Leggi rapidamente e molte volte questo primo paragrafo di un romanzo.

1.

Un caldo terribile. La stazione è affollatissima. La gente, sudata e innervosita, passeggia su e giù lungo i binari in attesa di sapere se lo sciopero sarà revocato o meno. I facchini sostano con i loro carrelli davanti a montagne di bagagli in attesa di caricarli. Il binario più gremito è il numero 2 da dove parte il «Palatino» che va a Parigi. Noi due siamo fra quelli più ottimisti; siamo convinti che domani mattina, massimo alle 11,00, saremo a Parigi.

«Ma se mancano solo 10 minuti alla partenza e ancora non si sa niente!» dicono. «Come si fa a pensare di partire alle 18,00!»

Intanto al binario 4 è in arrivo un treno dal sud. Ne scendono passeggeri spazientiti. Sembra che il treno portasse 210 minuti di ritardo. Chissà perché lo annunciano in minuti. Ritardo o no, almeno loro sono arrivati a destinazione!

Verso gli ultim[illegible]inari vedi[illegible]mo un po[illegible]sione. Forse la sit[illegible]ione

Rispondi a questa domanda:

L'ottimismo dell'autore sembra giustificato o no? Perché?

....

....

ATTIVITÀ 8

a) Facendo riferimento alla lettura dell'attività 7 scrivi la domanda relativa a ciascun gruppo di parole.

1. binario/partire/"Palatino"?

   ....

2. ora/partire?

   ....

3. treno/in arrivo/binario 4?

   ....

4. minuti/ritardo/treno dal sud?

   ....

5. poca gente/stazione?

   ....

6. Come/gente?

   ....

7. Dove/andare/"Palatino"?

   ....

8. Che/fare/facchini?

b) Lavora con un compagno. Rivolgetevi alternativamente le domande e assegnatevi un punto per ogni risposta accettata dal compagno. Se ci sono controversie rivolgetevi all'insegnante.

ATTIVITÀ 9

GIOCO

"FILETTO,,

Lavora insieme ad altri 3 o 4 compagni con i quali costituirai una squadra che giocherà contro un'altra di altrettanti studenti. Ciascuna delle due squadre sceglie un simbolo grafico che la contraddistingua (può essere una lettera dell'alfabeto, per es.: la squadra *'O'* contro la squadra *'X'*). Si stabilisce chi comincia con il lancio della moneta. In ognuno dei novi riquadri dello schema sottostante ci dovrebbero essere due battute consecutive di un dialogo, una delle quali, però, non è scritta. Il compito di ogni squadra è di trovare la battuta mancante. La squadra che comincia sceglie uno dei 9 riquadri, lo completa e comunica la battuta all'altra squadra. Quest'ultima deve stabilire se essa è corretta e appropriata. Se sì, la squadra che ha formulato la battuta corretta mette in quello stesso riquadro il proprio simbolo grafico. Sarà poi la volta dell'altra squadra che sceglierà un riquadro, lo completerà, comunicherà la battuta, e così via. Vincerà la squadra che sarà riuscita ad allineare il proprio simbolo in senso orizzontale, verticale od obliquo, come in questi esempi:

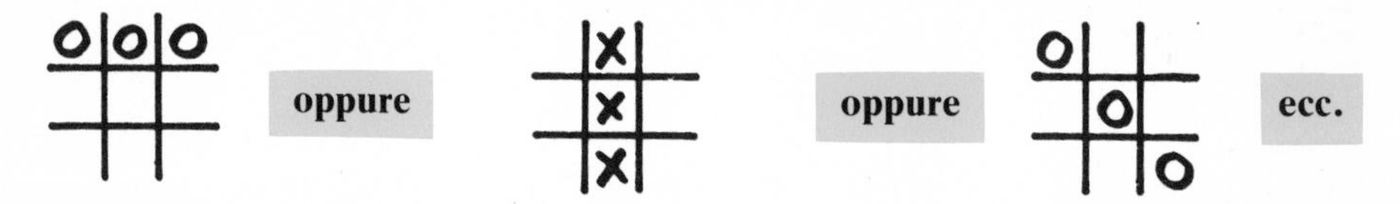

Nel caso che le due squadre non fossero d'accordo sulla correttezza o appropriatezza di una battuta si consulta l'insegnante. Nel caso che una battuta data da una squadra non sia corretta, la squadra avversaria può scegliere o di correggere quella battuta o di completare un altro riquadro. Anche la squadra che ha sbagliato potrà scegliere, quando arriverà il suo turno, di nuovo, di correggere la sua battuta o di completare un altro riquadro. Attenzione! Un riquadro già completato su cui è stato apposto il simbolo di una squadra non può più essere scelto dalla squadra avversaria.

– .... Milano? – 17.000 lire.	– .... Parigi? – Dal binario 16.	– .... per Napoli? – Alle 10.45.
– .... per Torino? – Alle 15.25.	– .... a Venezia? – Alle 05.15.	– .... prima ....? – 45.000 lire.
– .... andata e ..... Zurigo? –	– .... a Firenze? - Alle 19.23.	– ....? – Dal 7.

ATTIVITÀ 10

ESERCIZIO

a) Completa questa tavola a piacere senza farla vedere al compagno.

MILANO – CENTRALE F.S.					
BIN.	ORA PARTENZA	DESTINAZIONE	ORA ARRIVO	PREZZO	
				1ª CLASSE	2ª CLASSE
1	06.00	ISTANBUL	02.00 *	£300.000	180.000
2	06.30	MADRID	18.30	£200.000	120.000
3	07.15	NIZZA	10.15	£70.000	40.000
4	07.45	FRANCOFORTE	16.00	£150.000	90.000
5	09.00	TRIESTE	12.00	£70.000	40.000
6	09.30	BARI	19.30	£175.000	100.000
7	10.00	COMO	10.45	£15.000	10.000

*GIORNO DOPO

b) Completa la tavola seguente con le informazioni prese dalla tavola del tuo compagno. Non devi guardare la tavola del compagno. Ottieni le informazioni facendogli delle domande. Quando il compagno ti fa delle domande per completare la sua seconda tavola, non rispondere se la domanda non è corretta.

MILANO – CENTRALE F.S.					
BIN.	ORA PARTENZA	DESTINAZIONE	ORA ARRIVO	PREZZO	
				1ª CLASSE	2ª CLASSE
		ISTANBUL			
		MADRID			
6	3:49	NIZZA	13.30	$35.900	$31,000
		FRANCOFORTE			
5	14.12	TRIESTE	23.29	£19.000	£13.600
		BARI			
		COMO			

ATTIVITÀ 11

Hanno rubato il portafoglio a Rita Luzi. Qui sotto c'è la denuncia che lei ha scritto. Immagina di essere stato derubato del portafoglio su un treno (scegline uno dalla tavola dell'attività 6). Scrivi la denuncia.

Al Commissariato di P.S. di S. Lorenzo, Roma.

La sottoscritta Rita Luzi di fu Beniamino nata a Fermo (A.P) li 16-6-1950 e abitante in Via A. Cervesato, 10 Roma Tel: 433627, denuncia a codesto ufficio di essere stata derubata del portafogli contenente la somma di £ 15.000, le chiavi di una OPEL Kadett targata AP 64273, la patente di guida N° 86116 rilasciata dalla Prefettura di Ascoli Piceno il 2-3-1970 e la carta d'identità rilasciata dal Comune di Fermo li 28-7-1976. Il furto è avvenuto nel quartiere S. Lorenzo, zona Verano, nella mattinata. La sottoscritta chiede una copia della presente denuncia per gli usi consentiti dalla legge. In fede,

Roma li 21-2-1979

Rita Luzi

ATTIVITÀ 12

DRAMMATIZZAZIONE LIBERA

Lavora con un compagno come nelle altre attività. State per partire con il treno. Uno di voi ha già preso tutte le informazioni e comprato i biglietti, ed è seduto al bar ad aspettare l'altro. L'altro arriva e vuole sapere tutto.

ATTIVITÀ 13

Lavora come nell'attività 1 di questa unità.

Destinazione: ....

Numero di biglietti: ....

	ORARIO DI PARTENZA	ORARIO DI ARRIVO
DIRETTO:		
CON COINCIDENZA A TORINO:		

Il biglietto di andata e ritorno di 2ª classe costa: ....

Il biglietto di andata e ritorno di 1ª classe costa: ....

La cuccetta costa: ....

HAI NOTATO ....?

.... le **PREPOSIZIONI** in:

Il treno **per** Zurigo parte **dal** binario 2.
Arriva **a** Venezia **alle** 3.
Un biglietto **di** seconda.
La differenza **di** prezzo.
C'è soltanto un treno **al** giorno.
Non c'è nessuna possibilità **di** giorno.

.... il **VERBO IMPERSONALE bisogna** in:

Bisogna cambiare treno.

.... il verbo **volerci** in:

Ci vuole molto più tempo.
Ci vogliono 13 ore.

.... il **PRONOME COMPLEMENTO ci** in:

Lei **ci** metterà 2 ore di più.
che significa *PER QUESTO.*

LESSICO

biglietto	unico	dunque	venire (= costare)
prezzo	diretto	soltanto	
differenza	successivo	invece	
partenza	andata e ritorno		
coincidenza			
treno			
oretta			

11ª unità PARLARE CON UN NUOVO AMICO

Francesca e Marco si conoscono da poco e si incontrano per strada.

ATTIVITÀ 1

Completa le informazioni su Francesca:

1. Adesso lavora come ....
2. Prima lavorava come ....
3. Adesso vive a ....
4. Prima viveva a ....
5. E' stata nelle seguenti nazioni: ....

....

6. Ha studiato all'università le seguenti lingue: ....

....

ATTIVITÀ 2

ASCOLTO INTENSIVO FUNZIONALE

Riascolta parecchie volte la registrazione dell'attività 1 badando bene a come parla Marco. E' lui che *gestisce* la conversazione. Scrivi qui sotto, parola per parola, gli enunciati che riesci a captare fra quelli che lui usa per far parlare Francesca.

....

....

....

ATTIVITÀ 3

Dopo essersi salutati Marco domanda a Francesca perché è stanca. Così viene a sapere che Francesca ha lavorato tutto il giorno come interprete di tedesco. Marco è sorpreso della nuova informazione, cioè che Francesca parla il tedesco, e cerca di sapere come mai lo conosce.
Lavora con un compagno. Cercate di completare questa conversazione. Alla fine, per assicurarvi che sia completa, ascoltate molte volte la registrazione lavorando come nell'attività 12 della 9ª Unità.

	FRANCESCA:	**Oggi ho lavorato come interprete di tedesco.**
Esprime sorpresa.	MARCO:	Come ? Tu parli **tedesco?**
Afferma con decisione. Dà un'informazione circa il suo passato.	FRANCESCA:	Certo che **parlo** tedesco**.** Ero **insegnante** di **tedesco.**
***Esprime sorpresa. Chiede un'informazione* sul quando.**	MARCO:	Come ? Quanto tempo **fa?**
Risponde alla domanda (due anni). Dice la durata della sua passata attività. *Racconta* dando ulteriori spiegazioni.	FRANCESCA:	Due anni fa. L'ho fatto per **due anni. Infatti** ho studiato **lingue all'università e** il tedesco era la mia lingua **principale.**
Fa una deduzione.	MARCO:	**Quindi** non parli soltanto **tedesco.**
Conferma la deduzione. Fornisce particolari.	FRANCESCA:	No**.** Parlo anche **inglese,** che era la **seconda** lingua**, francese e spagnolo.**
Esprime ammirazione.	MARCO:	Ah **!** Però **!**

(interjection, not adverb)
(expresses admiration)

ATTIVITÀ 4

ASCOLTO INTENSIVO FONOLOGICO

Lavora sulla conversazione dell'attività 3 come nell'attività 12 della 6ª Unità.

ATTIVITÀ 5

ESERCIZIO LIBERO

Lavora con un compagno.

Uno di voi deve dare un'informazione vera all'altro su una cosa che faceva prima ma che non fa più, tipo:

Ero insegnante di tedesco

Continuate improvvisando una breve conversazione e sfruttando, lì dov'è il caso, elementi dell'attività 3. Scambiatevi le parti.

ATTIVITÀ 6

PRODUZIONE LIBERA

Bada bene alla differenza fra l'uso dell'imperfetto e del passato prossimo nella conversazione dell'attività 3. Immagina di abitare a Roma da 2 anni e di star raccontando ad un nuovo amico la tua vita precedente. Scrivi sul quaderno ciò che gli diresti.

ATTIVITÀ 7

Marco s'interessa a come Francesca è venuta a Roma da Parma. Lavora con un compagno come nell'attività 3.

	MARCO:	**Tu sei venuta a Roma già avendo il lavoro o l'hai cercato stando qui?**
Risponde alla domanda.	FRANCESCA:	**No. Prima** .... **Roma, poi** .... **lavoro.**
Esprime ammirazione (avventura).	MARCO:	**Ah!** ...., ...
Risponde con modestia.	FRANCESCA:	**Sì.** ...., ...
Motiva la sua ammirazione ripetendo il fatto.	MARCO:	**Ma sì.** .... **senza niente. Al buio, insomma.**

ATTIVITÀ 8

ASCOLTO INTENSIVO FONOLOGICO

Lavora sulla conversazione dell'attività 7 come nell'attività 4 di questa unità.

ATTIVITÀ 9

ESERCIZIO

Lavora con un compagno. Guardate la conversazione dell'attività 7.

Immaginate che Marco parli con un uomo (Francesco e non Francesca) e ripetete la conversazione. Scambiatevi i ruoli.

ATTIVITÀ 10

ESERCIZIO

Lavora con un compagno. Guardate la conversazione dell'attività 7.

Questa volta immaginate che Francesca sia sposata e non parli solo di se stessa ma parli di sé e di suo marito. Riprendete la conversazione, scambiandovi i ruoli.

Badate bene: *venuta* **ecc. diventa** *venuti* **ecc. (cioè al maschile plurale perché una delle due persone è maschile - il marito.)**

ATTIVITÀ 11

Leggi rapidamente e molte volte la lettera sottostante.

Torino 2·9·19..

Caro Luca
sono tornato ieri sera dalle vacanze, ho provato a chiamarti, ma tu non c'eri. Tua madre mi ha detto che tornerai fra una settimana e così ho pensato di scriverti questa lettera oggi (così la troverai al tuo ritorno.)
Sono molto curioso di sapere com'è andato il tuo viaggio in Inghilterra, quali sono le tue impressioni. Che hai fatto dopo? Sei andato al mare? So che ti piace tanto.
Per quanto riguarda me ti premetto subito che mi sono divertito un sacco. Sono stato in campeggio in Sicilia e ho conosciuto molta gente interessante. Il camping era pieno di giovani che venivano da tutt'Italia e già il primo giorno ho fatto amicizia con un gruppo molto simpatico che veniva dalla Toscana e praticamente ho passato le vacanze con loro. Durante il giorno stavamo sempre in spiaggia ad abbronzarci (devi vedere quanto sono nero!), facevamo il bagno e un sacco d'altre cose. La sera andavamo a ballare o facevamo dei fuochi sulla spiaggia. Altre volte andavamo nel paese vicino al camping e ci sedevamo a chiacchierare in qualche bar all'aperto. Insomma sono stato proprio bene, non mi sono mai annoiato e, quel che è più importante, mi sono riposato a sufficienza dopo quei terribili esami che abbiamo dovuto sostenere. Spero che sia stato così anche per te. Aspetto di saperlo nella tua prossima lettera che, mi auguro, scriverai prestissimo.

Ciao, ti abbraccio
Paolo

Rispondi alla seguente domanda.

Perché Paolo aveva bisogno di riposarsi?

ATTIVITÀ 12

"ARGOMENTI DIFFERENZIATI"

A.

Ascolta due volte la conversazione. Ti accorgerai che l'uomo che racconta di sé tocca gli argomenti elencati sotto:

studio	lavoro
rapporti sentimentali	insegnamento
carriera	rapporti familiari

B. **Formate dei gruppi di circa quattro persone. La metà dei gruppi costituiti dovrà, ascoltando altre volte la conversazione, concentrarsi sugli argomenti della colonna di sinistra e prendere quante più informazioni possibile al riguardo, appuntandole man mano nel quaderno.**
Alternate all'ascolto momenti di socializzazione delle informazioni prese. Durante la socializzazione ogni membro di ciascun gruppo dovrà appuntare le informazioni che gli mancano in modo da avere, alla fine, la somma delle informazioni prese da ciascuno nel gruppo.
L'altra metà dei gruppi lavorerà nello stesso modo concentrandosi, però, sui temi della colonna di destra.

C. **Al via dell'insegnante ogni gruppo elegge un suo rappresentante. Ogni gruppo che si occupa degli argomenti della colonna di sinistra manderà un suo rappresentante in un determinato gruppo che si occupa degli argomenti della colonna di destra; e viceversa.**
Ogni rappresentante intraprenderà un colloquio con il nuovo gruppo per raccogliere, sempre annotandole nel suo quaderno, tutte le possibili informazioni sugli argomenti trattati da quel gruppo. La conversazione deve essere in italiano e reale, nel senso che i membri del nuovo gruppo devono informare a parole il rappresentante e non fargli leggere gli appunti che hanno nel quaderno.
Raccolte le informazioni, il rappresentante torna nel proprio gruppo e le socializza. Tutti i membri del gruppo devono annotare ciò che lui dice.

ATTIVITÀ 13

LETTURA INTENSIVA FUNZIONALE
Lavora con un compagno.

Rileggete attentamente la lettera dell'attività 11 cercando di individuare tutte le espressioni che servono a raccontare e a far raccontare. Riscrivetele seguendo il modello:

RACCONTARE	FAR RACCONTARE
sono tornato ieri sera dalle vacanze.	*sono molto curioso di sapere....*

ATTIVITÀ 14

PRODUZIONE LIBERA SCRITTA

Aiutandoti con le espressioni trovate nell'attività 13, scrivi la lettera di risposta alla lettera dell'attività 11.

HAI NOTATO ....?

.... l'**IMPERFETTO INDICATIVO:**

-ARE	-IRE	-ERE
(noi) **stavamo**	(lui/lei) **veniva**	(noi) **sedevamo**
(noi) **andavamo**	(loro) **venivano**	

FARE	ESSERE
(noi) **facevamo**	(io) **ero;** (tu) **eri;** (lui/lei) **era**

.... l'elisione nel pronome diretto **lo** davanti alla consonante *H* in:
l'ho fatto

.... il **GERUNDIO:**
avendo (avere)
stando (stare)

.... la posizione dei **PRONOMI** con l'infinito dei verbi:
chiamar**ti**
scriver**ti**
abbronzar**ci**
saper**lo**

LESSICO

interprete	totale	lasciare	però!
università	simpatico	provare	insomma
avventura	curioso	sperare	senza
buio	interessante	divertirsi	un sacco
vacanza		annoiarsi	già
viaggio		riposarsi	a sufficienza
ritorno		augurarsi	
impressione		sostenere	
esami		tornare	

12ª unità

FARE OPERAZIONI ALLA POSTA

Un signore alla posta chiede delle informazioni ad un impiegato.

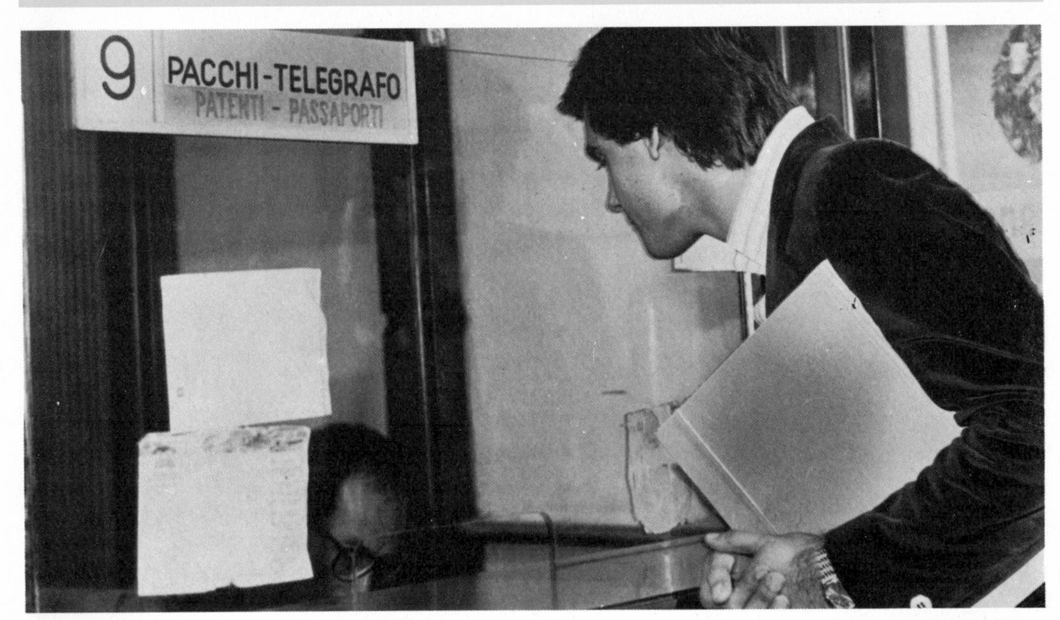

ATTIVITÀ 1

Lavora come nelle altre unità.

1. Il signore vuole spedire diverse cose. Completa la tavola indicando a quale sportello deve recarsi per ogni operazione:

VUOLE SPEDIRE	SPORTELLO
un pacco	
una lettera raccomandata	
un telegramma	
un vaglia internazionale	

2. a)Per quale operazione ci vuole un documento? ....

b) Per quali operazioni deve riempire un modulo? ....

c) Il pacco è incartato bene? ....

d) Vuole fare una raccomandata ordinaria o con ricevuta di ritorno? ....

ATTIVITÀ 2

Lavora come nelle altre unità.

Esprime un desiderio (mandare soldi all'estero) e *la sua non conoscenza* delle modalità.	SIGNORE: ....
	IMPIEGATO: **Può fare un vaglia internazionale. Allora, guardi,il modulo lo deve prendere allo sportello 18. Però deve avere un documento, un documento di identità. Ce l'ha?**
Dà una informazione.	SIGNORE: ....
	IMPIEGATO: **Sì, la patente va bene.**
Chiede un'informazione (quanti soldi).	SIGNORE: ....
	IMPIEGATO: **Guardi, io esattamente non lo so. Eventualmente lo chieda all'impiegato.**

ATTIVITÀ 3

a) Immagina di trovarti in un ufficio postale in Italia. Scrivi tre domande, ognuna su un pezzo di carta, che potresti voler fare all'impiegato.
b) Passa le domande al tuo compagno e prendi le sue. Scrivi le risposte alle sue domande. Nel caso che tu non sappia la risposta puoi riascoltare la registrazione dell'attività 1. Se rimani nell'impossibilità di rispondere, passa la domanda ad un altro studente, il quale, se può, scriverà la risposta. Se non può, passa la domanda all'insegnante; sarà lui a rispondere.
c) *"QUIZ„*

La classe si divide in due grandi squadre a ciascun membro delle quali viene assegnato un numero. A turno le squadre si scambiano le domande ad alta voce (il membro che fa la domanda viene scelto con un lancio di dadi). Se la risposta è accettata da chi ha fatto la domanda si guadagna 1 punto.

ATTIVITÀ 4

DRAMMATIZZAZIONE LIBERA

Lavora con un compagno come nelle altre unità.

Uno di voi va alla posta per fare diverse operazioni. L'altro è l'impiegato.

ATTIVITÀ 5

Scrivi una conversazione tipo quella che avete fatto nell'attività 4.

ATTIVITÀ 6

Leggi rapidamente e molte volte la lettera sottostante.

Milano, 7-11-19---

Cara Palma,

ho ricevuto finalmente il tuo pacco. Sei stata così brava a circondare di mistero il contenuto che appena è arrivato il postino gli sono quasi saltata addosso. La curiosità era tale che ho cominciato a rigirarlo (non il postino, naturalmente!) per trovare un punto in cui cominciare a strappare la carta esterna. Ma come sei riuscita a confezionare quel pacco!? Nastro adesivo su nastro adesivo, piombino, spago, etichette da tutte le parti... Insomma non riuscivo ad aprirlo! E fremevo! Mentre prendevo le forbici (unica soluzione al problema) facevo ipotesi sul probabile contenuto. Un'ultima tua creazione artistica? Un souvenir dal Madagascar? Non ti dico la mia sorpresa quando mi sono trovata davanti alla mia preziosa borsa di coccodrillo! Non avrei mai immaginato di averla lasciata da te. Ero quasi sicura di averla dimenticata sull'aereo e ormai disperavo di poterla più ritrovare. Ti avrei abbracciata! Sai bene che quella borsa ha un valore particolare per me. Sono felicissima e ti dico un grosso "GRAZIE!"

Ti saluto e ti abbraccio

Rossana

Rispondi alle seguenti domande.

– Perché Rossana è felicissima? ....

....

– Il pacco mandato da Palma è regolare? ....

PRODUZIONE LIBERA SCRITTA

Scrivi, nel tuo quaderno, una lettera ad un tuo amico che ti ha mandato un pacco con dentro qualcosa di speciale. Inventa che cosa ti ha mandato e commentalo nella lettera.

ATTIVITÀ 7

Lavora come nelle altre unità. Ascolta la registrazione parecchie volte.

Sentirai una giornalista, Giovanna Maggiorelli, dell'Automobile Club d'Italia che parlerà del tempo e del traffico, e consiglierà itinerari turistici. Qui sotto ci sono delle liste di parole. Ogni volta che senti una di queste parole mettici una croce accanto.

il tempo

zone
nord-orientali
nuvolosità
piovere
regioni centro-sud
sereno

il traffico

scarso
autostrada
intenso
movimento veicolare
aumento
centri urbani
direzione centro-nord
incidenti
autovettura
automobilisti
sorpasso
conversione ad 'U'
velocità

il turismo

itinerari
turisti
paesaggio
passeggiata
centro storico
diciottesimo secolo
giardini all'italiana
musei civici
palazzi
visita
panorama
magnifico
birreria
piatti tipici
gnocchi al gorgonzola
filetti alla fiamma
polenta con selvaggina
dolce
cittadina
opere d'arte
duomo
medievale
facciata

Sacro Monte
Varese
Milano
Lombardia
Villa Mirabella
Basilica di San Vittore
Battistero di S. Giovanni
Corso Matteotti
Chiesetta di Santa Maria del Monte
valico di Ponte Tresa
Toscana
Firenze
Siena
la Porta Romana
Poggibonsi
San Gimignano
Palazzo del Popolo
Colle di Val d'Elsa
Chiesa di San Domenico

RIASSUNTO GRAMMATICALE

I VERBI

A. PRESENTE INDICATIVO

VERBI IRREGOLARI

ANDARE

(io) **vado**	(noi) **andiamo**
(tu) **vai**	(voi) **andate**
(lui/lei) **va**	(loro) **vanno**

DOVERE

(io) **devo**	(noi) **dobbiamo**
(tu) **devi**	(voi) **dovete**
(lui/lei) **deve**	(loro) **devono**

B. PIACERE

Mi (= a me) **Ti** (= a te) **Gli** (= a lui) **Le** (= a lei) **Ci** (= a noi) **Vi** (= a voi) **Gli** (= a loro)	**piace**	ballare. Roma. il vino rosso.
	piacciono	gli spaghetti. i Romani.

C. PASSATO PROSSIMO

1. **VERBI INTRANSITIVI CON AUSILIARE** *ESSERE* (il participio passato si accorda con il soggetto).

ESSERE

(io) **sono stato/a**	(noi) **siamo stati/e**
(tu) **sei stato/a**	(voi) **siete stati/e**
(lui/lei) **è stato/a**	(loro) **sono stati/e**

2. **PARTICIPI PASSATI REGOLARI** -si formano così:

-ARE	*-IRE*	*-ERE*
camminare - **camminato**	capire - **capito**	volere - **voluto**

3. **VERBI CON PARTICIPI PASSATI IRREGOLARI.**

RIMANERE	p. es.:	Io sono **rimasto** contento.
CHIEDERE	p. es.:	Mi ha **chiesto** di rivederlo.
DIRE	p. es.:	Le ho **detto** di prepararsi.
VEDERE	p. es.:	Ho **visto** che stava rompendo la bambola.
PRENDERE	p. es.:	Tu hai già **preso** tutte le informazioni?
FARE	p. es.:	Ho **fatto** l'insegnante per due anni.

D. IMPERFETTO

PARLARE		**CREDERE**		**VENIRE**		**ESSERE**	
parlavo	**parlavamo**	**credevo**	**credevamo**	**venivo**	**venivamo**	**ero**	**eravamo**
parlavi	**parlavate**	**credevi**	**credevate**	**venivi**	**venivate**	**eri**	**eravate**
parlava	**parlavano**	**credeva**	**credevano**	**veniva**	**venivano**	**era**	**erano**

E. CONDIZIONALE PRESENTE

VOLERE		SAPERE	
vorrei	**vorremmo**	**saprei**	**sapremmo**
vorresti	**vorreste**	**sapresti**	**sapreste**
vorrebbe	**vorrebbero**	**saprebbe**	**saprebbero**

GLI AGGETTIVI POSSESSIVI

CON SOSTANTIVI
MASCHILI SINGOLARI
il mio lavoro **il nostro** lavoro
il tuo lavoro **il vostro** lavoro
il suo lavoro **il loro** lavoro

CON SOSTANTIVI
FEMMINILI SINGOLARI
la mia città **la nostra** città
la tua città **la vostra** città
la sua città **la loro** città

CON SOSTANTIVI
MASCHILI PLURALI
i miei genitori **i nostri** genitori
i tuoi genitori **i vostri** genitori
i suoi genitori **i loro** genitori

CON SOSTANTIVI
FEMMINILI PLURALI
le mie avventure **le nostre** avventure
le tue avventure **le vostre** avventure
le sue avventure **le loro** avventure

TEST

1. Completa le frasi mettendo il verbo al presente indicativo:

a) Noi **(dovere)** .... partire subito.

b) Non voglio gli spaghetti perché non mi **(piacere)** ....

c) Io non **(sapere)** .... dov'è andato Piero.

d) Dove **(andare)** .... i tuoi amici?

e) Tu **(dovere)** .... scrivere la lettera subito.

f) Non ti **(piacere)** .... lavorare, è vero?

g) Voi **(andare)** .... a casa?

h) Loro non **(dovere)** .... fare complimenti.

2. Completa questo brano con aggettivi possessivi e articoli:

Ho lasciato .... città e .... lavoro e sono venuto a Roma. Mi dispiaceva salutare .... vecchi amici. Comunque tu mi hai presentato .... amici e li trovo molto simpatici. Ti ammiro e vorrei avere .... tipo di vita. .... città è una meraviglia e cercherò di far venire .... fratelli.

3. Completa le frasi mettendo il verbo al passato prossimo:

a) Mario **(rimanere)** .... a casa.

b) Scusi, che cosa mi **(chiedere)** ....?

c) Noi non **(vedere)** .... quel libro.

d) Io **(fare)** .... il farmacista per 10 anni.

e) Io le **(dare)** .... il mio nome.

f) Puoi ripetere? Non **(capire)** ....

g) I miei genitori **(prendere)** .... il treno ieri mattina.

4. Completa le frasi usando il passato prossimo del verbo *'ESSERE'*:

a) I tuoi amici .... molto felici di vederti.

b) .... in quel posto ma non ci è piaciuto.

c) Mi avete detto che Roma è bella ma non mi avete detto dove ....

d) .... molto fortunata. Ho ritrovato i miei documenti.

e) Anna e Luisa .... molto contente di ricevere il tuo pacco.

f) L'impiegato .... molto gentile ad aiutarmi.

g) È vero che .... in vacanza con il tuo amico?

5. Completa il seguente racconto mettendo i verbi all'imperfetto:

Quando **(essere)** .... bambino **(abitare)** .... in campagna. La scuola dove mio fratello ed io **(andare)** .... **(essere)** .... abbastanza lontana e tutte le mattine **(fare)** .... circa 4 chilometri a piedi per arrivarci. I miei genitori **(lavorare)** .... in città e **(ritornare)** .... la sera, quindi noi ragazzi **(rimanere)** .... tutto il pomeriggio soli. Non **(essere)** .... un problema. **(sapere)** .... quali **(essere)** .... le cose che assolutamente non **(potere)** .... fare. Per il resto, **(sentirsi)** .... molto liberi.

6. Completa questo piccolo racconto mettendo i verbi all'imperfetto o al passato prossimo a seconda dei casi.

L'altro giorno, mentre **(camminare)** .... lungo il corso, **(incontrare)** .... una vecchia amica che non **(vedere)** .... da molti anni. Lei mi **(riconoscere)** .... subito anche se mi **(dire)** .... che **(essere)** .... molto cambiato. Lei non lo **(essere)** .... affatto. **(portare)** .... gli stessi capelli cortissimi ed **(essere)** .... sempre molto magra. Le **(chiedere)** .... il numero di telefono e **(salutarsi)** .... con la promessa di passare qualche serata insieme.

13ª unità RACCONTARE UNA TUA ESPERIENZA

Giancarlo va a trovare a casa Laura e Marco. E' appena tornato da un viaggio a Venezia e racconta loro quello che gli è successo sul treno tornando a Roma.

ATTIVITÀ 1

Lavora come nelle altre unità.

1. Il treno doveva partire alle ....
2. C'era .... gente nello scompartimento.
3. La signora aveva ....anni.
4. Quando Giancarlo ha preso la valigia la signora ha cominciato a ....
5. Lei credeva che lui fosse un ....
6. Ha chiamato il ....
7. Dopo, sull'altro treno, la signora ha .... a Giancarlo.

ATTIVITÀ 2

DETTATO

Lavora come nelle altre unità.

GIANCARLO: **Mi è successa una cosa ieri che vi devo assolutamente raccontare.**

LAURA: **Dai, ...**

GIANCARLO: **Dunque, sono salito sul .... e .... scompartimento .... vuoto. .... preso ...., e .... c'era una signora che poteva avere .... o .... anni, ... di .... Ad un certo .... , ... 5 .... che .... lì, è passato .... capostazione e ha .... che .... sul .... sbagliato. Quindi dovevamo .... per .... ad un .... binario per .... il .... per ....**

ATTIVITÀ 3

ASCOLTO INTENSIVO FONOLOGICO

Lavora come nelle altre unità.

ATTIVITÀ 4

DETTATO

Giancarlo continua il racconto. Lavora come nella attività 2.

GIANCARLO: **Allora .... ho .... questa .... anziana e .... volevo aiutare a .... giù le .... Appena .... andato a .... le valigie per tirarle ...., ha .... a strillare, a .... "................, lasci le .... valigie!" Insomma, ... aveva preso per .... ladro. E va bene che .... ero, sai, ... i blue jeans, il ...., la barba .... , però .... sono .... ladro. Io .... rimasto scioccato.**

ATTIVITÀ 5

ASCOLTO INTENSIVO FONOLOGICO
Lavora sul brano dell'attività 4 come nell'attività 3.

ATTIVITÀ 6

ESERCIZIO

Completa questo racconto scegliendo i verbi dalla lista sottostante.

Attenzione: il verbo *essere* deve andare all'imperfetto.

Ieri mattina .... l'autobus per andare in centro. .... alla fermata vicino casa mia e l'autobus .... già affollato. .... il biglietto e .... un po' avanti verso la porta centrale. Improvvisamente il conducente .... ed io .... per terra come molti altri. Fortunatamente però nessuno si è fatto male. Tutti .... molto arrabbiati con il conducente. Io .... molta paura e .... scendere alla fermata successiva. .... in un bar e .... un cognac, poi .... un taxi.

fare, avere, prendere, chiamare, salire, preferire, entrare, andare, essere, cadere, frenare.

ATTIVITÀ 7

PRODUZIONE LIBERA SCRITTA

Scrivi un racconto sul quaderno. Può essere vero o inventato.

ATTIVITÀ 8

Lavora con un compagno.

Raccontatevi a turno quello che avete scritto nella attività 7. Cominciate così:

A. Mi è successa una cosa, ieri, che ti devo assolutamente raccontare.
B. Dai, racconta.
A. Dunque,....

Chi ascolta deve prendere appunti per poter raccontare in seguito la stessa storia. Se non capisce, dice "Come, scusa?„.

ATTIVITÀ 9

Lavora con un compagno diverso da quello con cui hai lavorato nell'attività 8. Raccontatevi a turno quello che è già stato raccontato dal compagno precedente. Attenzione: sarà tutto alla terza persona. Iniziate così:

A. A .... (il nome del compagno precedente) è successa una cosa ieri che ti devo assolutamente raccontare.
B. Dai, racconta.
A. Dunque ....

Chi ascolta deve prendere appunti per poter raccontare in seguito la stessa storia. Se non capisce, dice: "Come, scusa?„.

ATTIVITÀ 10

Lavora con ancora un nuovo compagno e raccontatevi le storie rispettivamente sentite nella precedente attività.

ATTIVITÀ 11

Leggi rapidamente e più volte questo racconto.

Daniele ha trascorso le sue vacanze al mare quest'estate. A lui piace molto la pesca; perciò la mattina si alzava presto e andava su uno scoglio a pescare fino all'ora di pranzo. Una mattina mentre era sullo scoglio improvvisamente ha sentito un gran rumore e la terra tremare sotto i suoi piedi. Il mare in pochi attimi è diventato mosso, con onde altissime e il cielo scuro e minaccioso. Dal mare è arrivato del vento caldo e violento; sembrava la fine del mondo.

Tutto è durato pochi minuti ma per Daniele questi minuti sono sembrati interminabili. Aveva paura ma soprattutto in lui c'erano sentimenti di solitudine e impotenza. Quando tutto è finito Daniele è rimasto ancora per lunghi minuti a guardare il mare che si andava calmando senza la forza di muovere un passo, con la mente vuota e le gambe molli.

Quando si è svegliato da questo torpore ha raccolto gli oggetti della pesca e lentamente è tornato verso casa. Sulla piazza del paese c'erano tante persone che parlavano e andavano di qua e di là piene di paura.

A casa Daniele ha trovato Linda, sua moglie, che dormiva tranquillamente, l'ha svegliata e le ha raccontato ciò che era successo. Linda non riusciva a credere a ciò che sentiva e soltanto quando si è affacciata alla finestra e ha visto tanta gente si è resa conto che quello che diceva Daniele era pura verità.

Per giorni nel paese non si è parlato di altro che del terremoto del 24 luglio e per Daniele, come per tutti, resterà un'esperienza indimenticabile.

ATTIVITÀ 12

Scrivi una lettera ad un amico e raccontagli la storia dell'attività 11 come se fosse successa a te. Il testo deve iniziare così:

'Mi è successa una cosa che ti devo assolutamente raccontare.'

ATTIVITÀ 13

DRAMMATIZZAZIONE LIBERA

Lavora con un compagno.

Uno di voi va a casa dell'altro, che è un amico, e racconta una cosa che gli è successa.

ATTIVITÀ 14

Lavora come nelle altre unità.

Adriano, appena tornato dalle vacanze di Ferragosto sulle Dolomiti, racconta ad un suo amico una cosa che gli è successa.

1. L'ultimo trenino per la discesa partiva alle ....
2. Adriano e Sandra hanno cominciato a scendere a piedi alle ....
3. Sandra portava ai piedi scarpe con ....
4. Ha cominciato a fare buio alle ....
5. Hanno trovato un ....
6. Hanno dormito su ....

HAI NOTATO ....?

.... verbi che al **PASSATO PROSSIMO** prendono l'ausiliare *ESSERE:*

p.es.

SALIRE:	**Sono salito** sul treno.
SUCCEDERE:	Mi **è successa** una cosa.
PASSARE:	**E' passato** il capostazione.
ANDARE:	**Sono andato** a prendere le valigie.
RIMANERE:	Io **sono rimasto** scioccato.
FARSI:	Nessuno **si è fatto** male.

.... verbi che al **PASSATO PROSSIMO** prendono l'ausiliare *AVERE:*

p. es.

PRENDERE:	**Ho preso** posto.
DIRE:	**Ha detto** che....
GUARDARE:	Io **ho guardato** questa signora.
COMINCIARE:	**Ha cominciato** a strillare.
FARE:	**Ho fatto** il biglietto.
FRENARE:	Il conducente **ha frenato.**

.... l'**IMPERFETTO INDICATIVO** del verbo **essere.**

(io) **ero**	(noi) **eravamo**
(tu) **eri**	(voi) **eravate**
(lui/lei) **era**	(loro) **erano**

LESSICO

scompartimento
valigia
ladro
barba
estate
mare
cielo
esperienza

vuoto
altro
sbagliato
anziana
scioccato
scuro
violento
interminabile

giù
assolutamente
abbastanza
quindi
improvvisamente
soprattutto
lentamente
tranquillamente

14ª unità COMPRARE MEDICINE

Una signorina va in farmacia e acquista medicine.

ATTIVITÀ 1

Ascolta la registrazione parecchie volte e indica con una croce se le seguenti affermazioni sono vere o false.

		VERO	FALSO
1.	La signorina si è rotta un braccio.	☐	☐
2.	La signorina ha il raffreddore.	☐	☐
3.	La signorina vuole un'aspirina.	☐	☐
4.	"RIBELFAN" è un antibiotico.	☐	☐
5.	Le supposte sono più efficaci delle compresse.	☐	☐
6.	La signorina deve mettere le supposte tre volte al giorno.	☐	☐
7.	Lo sciroppo serve per curare la tosse.	☐	☐
8.	La signorina ha la febbre.	☐	☐
9.	La signorina compra pasticche di vitamina "C" effervescenti.	☐	☐
10.	La signorina compra pasticche antisettiche per la gola.	☐	☐
11.	La signorina compra anche un dentifricio.	☐	☐
12.	La signorina paga 4.560 lire.	☐	☐

ATTIVITÀ 2

Lavora come nelle altre unità.

	FARMACISTA:	**Mi dica.**
Formula una richiesta **(raffreddore).**	SIGNORINA:	....
		....
	FARMACISTA:	**Sì. Un'aspirina 'C' va bene?**
Risponde negativamente ***raccontando la sua esperienza*** **(inefficace).**	SIGNORINA:	....
		....
		....
Formula una richiesta **(più efficace).**		....
		....
	FARMACISTA:	**Ho capito. Va bene. Possiamo provare con il "RIBELFAN".**
Chiede una spiegazione (compresse).	SIGNORINA:	....
	FARMACISTA:	**Sì, può essere in compresse o in supposte. Se lei vuole qualcosa di più efficace le consiglierei le supposte, se non le danno problemi.**
Esclude l'ultima ipotesi. Accetta. ***Esprime un parere positivo*** **sull'oggetto consigliato e ne dice la ragione.**	SIGNORINA:	....
		....
		....

ATTIVITÀ 3

ESERCIZIO

Lavora con un compagno. Ripetete molte volte le prime 4 battute della conversazione dell'attività 2. Scegliete ogni volta delle parole diverse dalle liste sottostanti per sostituire appropriatamente alcune delle parole originali. Cercate di farlo senza leggere il testo della conversazione. Scambiatevi i ruoli.

l'influenza	un'aspirina "C"
la tosse	delle supposte
il mal di denti	uno sciroppo
l'indigestione	delle compresse
il raffreddore	il bicarbonato
il mal di gola	

Badate bene: **(2ª battuta)** *va* **può diventare plurale.**
(4ª battuta) *lo* **può diventare** *la, le, li.*
(4ª battuta) *ha* **può diventare plurale.**
(4ª battuta) *prendere* **può diventare** *mettere.*

ATTIVITÀ 4

Sotto e nelle due pagine seguenti ci sono i fogli illustrativi di tre medicine. Guardali e completa le frasi da 1 a 10.

1. .... è in compresse.
2. .... è uno sciroppo.
3. .... è in supposte.
4. .... è per curare la tosse.
5. .... è per curare l'influenza.
6. .... è per curare il raffreddore.

ASPIRINA® + C
effervescente
con Vitamina C

Indicazioni Raffreddore, malattie da raffreddamento, per una terapia sintomatica e coadiuvante dell'influenza.
Reumatismo, lombaggine, sciatica.
Mal di testa e di denti, nevralgie, dolori muscolari, dolori mestruali.

Controindicazioni Ipersensibilità ai salicilici, tendenza accertata alle emorragie

Uso e dosi
Adulti
1-2 compresse, ripetendo, se necessario, la dose fino a 3-4 volte al giorno.
Bambini
da 3 a 6 anni: ½ compressa, ripetendo, se necessario, la dose fino a 3 volte al giorno;
da 6 a 12 anni: 1 compressa, ripetendo, se necessario la dose fino a 3 volte al giorno.
ASPIRINA "C" deve essere sempre sciolta prima dell'uso (1 compressa in mezzo bicchiere d'acqua).

Avvertenze Si consiglia di interpellare il medico se i sintomi persistono o ricorrono, in presenza di ulcera gastrica o duodenale, durante terapie anticoagulanti, nonché nel corso di diete iposodiche.
In gravidanza i medicamenti di regola dovrebbero essere usati solo dietro consiglio medico.
L'assunzione del prodotto deve avvenire a stomaco pieno, particolarmente quando sia necessario somministrare il prodotto stesso a dosi elevate o per periodi prolungati di tempo.
Una imperfetta e protratta conservazione del preparato può causare variazioni nella colorazione della compressa che di per sé non pregiudicano né l'attività né la tollerabilità del principio attivo. In tale evenienza si consiglia tuttavia di chiedere la sostituzione della confezione in farmacia.

Confezione 12 compresse.
Per ragazzi ASPIRINA è disponibile anche nella seguente forma:
10 bustine da 5 g (ASPIRINA "C" Junior concentrato d'arancia).

Non lasciare medicinali alla portata dei bambini.

BAYER ITALIA S.p.A. - MILANO
Concessionaria di fabbricazione e vendita della
Bayer Leverkusen
Officina consortile - Garbagnate Milanese

7. La dose massima di ASPIRINA "C" per gli adulti è di ....

8. La dose massima di GUAIACALCIUM per gli adulti è di ....

9. La dose massima di RIBELFAN per gli adulti è di ....

10. Le donne in stato di gravidanza devono seguire il consiglio del medico per quanto riguarda due di queste medicine.
Queste due medicine sono ....

Il Ribelfan confetti è un'associazione di propifenazone, chinina, noscapina, sulfametossipiridazina. Ribelfan supposte è un'associazione di aminofenazone, chinina, noscapina e sulfametossipiridazina.
Il propifenazone e l'aminofenazone, dotati di attività antipiretica ed antalgica, sono in grado di ridurre l'ipertermia e di eliminare le algie diffuse, caratteristiche dell'influenza e delle malattie febbrili da raffreddamento. La chinina ha attività coadiuvante quella del propifenazone.
La noscapina, efficace antitussivo, controlla la tosse che si accompagna allo stato irritativo delle alte vie respiratorie.
La solfametossipiridazina è un sulfamidico attivo a basso dosaggio su germi abitualmente responsabili delle più comuni infezioni complicanti l'influenza.

INDICAZIONI - Terapia sintomatica dell'influenza e delle malattie febbrili da raffreddamento. Terapia e prevenzione delle loro complicanze batteriche, quali tonsilliti, faringiti, laringiti, tracheo-bronchiti, sinusiti.

PRECAUZIONI D'IMPIEGO - Nello stato di gravidanza e nella primissima infanzia il prodotto deve essere usato soltanto in caso di effettiva necessità e sotto il diretto controllo del medico.
È sconsigliabile il consumo di bevande alcooliche durante il trattamento.
Poiché sono stati descritti con l'uso di sulfamidici casi di sindrome di Stevens-Johnson (eritema essudativo multiforme) i pazienti trattati devono essere tenuti sotto osservazione e nel caso che durante il trattamento compaia un'eruzione cutanea il trattamento stesso deve essere sospeso.
Particolare cautela deve essere posta nel trattamento di pazienti con segni di disfunzione renale o epatica, per il pericolo di accumulo. Durante il trattamento e nelle 24-48 ore successive assicurare una adeguata assunzione di liquidi.
Durante il trattamento, specie se protratto, sono raccomandati periodici controlli della funzionalità epatica, renale e della crasi ematica. Occorre anche cautela nei pazienti in terapia con anticoagulanti. In soggetti ipersensibili sono stati descritti danni a carico del sangue in seguito al trattamento prolungato con dosi elevate di derivati pirazolici.

Tenere fuori dalla portata dei bambini.

DOSI - Negli adulti: 3-5 confetti ripartiti nella giornata oppure 1-3 supposte per adulti il giorno.
Nei bambini, usando i confetti, dosi minori in rapporto al peso e all'età; impiegando le supposte rettali per bambini: 1-3 supposte il giorno. Nei bambini fino ad 1 anno di età: microsupposte: 1-2 il giorno.

CONFEZIONI - Astuccio da 10 confetti. - Astuccio da 6 supposte per adulti. Astuccio da 6 supposte per bambini. - Astuccio da 10 microsupposte.

ATTIVITÀ 5

ESERCIZIO

a) Lavora con un compagno come hai lavorato per l'attività 3 ripetendo, questa volta, la 3ª battuta e la prima frase della 4ª. Così:

dieta ipocalorica (seguire)

– Una dieta ipocalorica va bene?
– No, non credo perché la sto seguendo da tanto tempo.

iniezioni "EPATOS" (fare)
gocce (mettere)
dentifricio al fluoro (usare)
sciroppo (prendere)
dieta ipocalorica (seguire)
aspirina "C" (prendere)

Badate bene: **(1ª battuta)** *una* **può diventare** *un, uno, un', delle, dei, degli.*
(1ª battuta) *va* **può diventare plurale.**
(2ª battuta) *la* **può diventare** *lo, le, li.*
(2ª battuta) il verbo da usare ogni volta è scritto fra parentesi.

b) Ripetete l'esercizio sostituendo *tanto tempo* **con un termine più preciso, diverso ogni volta. Per esempio:** *3 settimane, 2 giorni,* **ecc..**

ATTIVITÀ 6

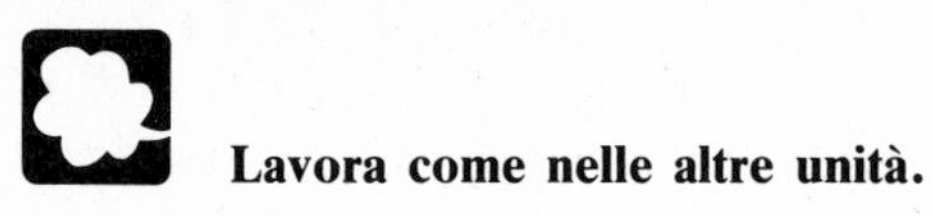

Lavora come nelle altre unità.

***Chiede un'informazione* sul "RIBELFAN".**	SIGNORINA: ....
	FARMACISTA: **No, no, no, no. Non sono antibiotici. Sono soltanto per i sintomi dell'influenza; perché immagino che lei abbia un po' di influenza.**
***Conferma la supposizione* della farmacista elencando due sintomi: tosse, mal di gola. Chiede un'informazione su una cura per la tosse.**	SIGNORINA: ....
	FARMACISTA: **Sì, posso darle uno sciroppo. Per esempio c'è il GUAIACALCIUM che può prendere ogni volta che ha attacchi di tosse più insistenti.**
Chiede un'informazione.	SIGNORINA: ....
	FARMACISTA: **Le supposte, una la mattina e una la sera.**
Fa notare il basso numero di supposte nella scatola.	SIGNORINA: ....
	FARMACISTA: **Sì, ce ne sono sei.**
***Esprime una logica deduzione* sulla durata dell'influenza.**	SIGNORINA: ....
	FARMACISTA: **Generalmente sì.**

ATTIVITÀ 7

ESERCIZIO

Lavora con un compagno.

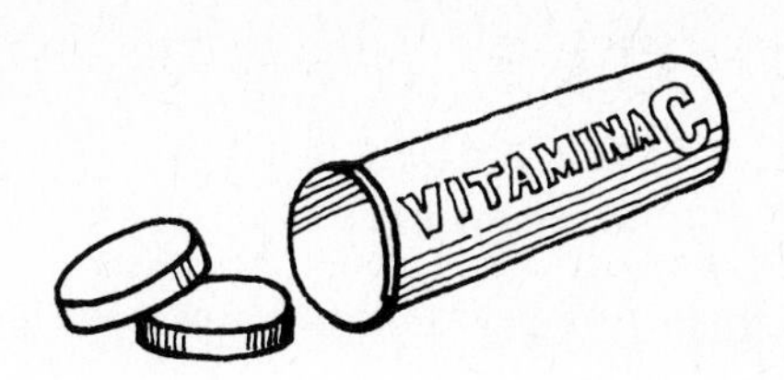

– Senta, per l'influenza, c'è qualcosa per mandarla via?

– Sì. Posso darle delle supposte.

Continuate l'esercizio variando alcune cose che vi saranno suggerite dalle immagini a fianco e dalla lista sottostante.

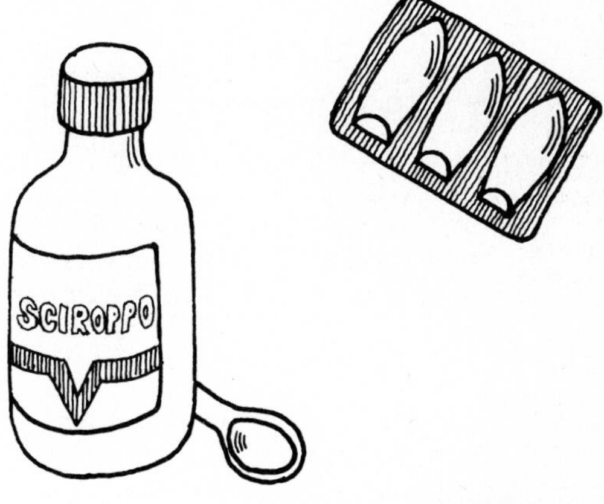

mal di denti
raffreddore
influenza
bruciore agli occhi
brufoli sul viso
mal di testa
tosse

Badate bene:
l' **può diventare** *il, i, la,* **ecc...**
mandarla **può diventare** *mandarlo,* **ecc....**
delle **può diventare** *della, uno,* **ecc....**

ATTIVITÀ 8

ESERCIZIO

Lavora con un compagno.

– E le supposte quando le devo prendere?
– Le supposte, una la mattina e una la sera.

Ripetete le due battute variando le medicine e la posologia come suggerito dalle immagini a fianco e dalla lista sottostante.

un cucchiaio 3-4 volte al giorno
un po' la mattina e un po' la sera
una compressa tre volte al giorno dopo i pasti
la sera prima di andare a letto
una la mattina e una la sera.

Badate bene:
le **può diventare** *lo, la,* **ecc.**
prendere **può diventare** *mettere.*

ATTIVITÀ 9

DRAMMATIZZAZIONE LIBERA

Lavora con un compagno.

Tu sei malato e vai in farmacia per comprare le medicine. Il compagno fa il farmacista. Cercate di immaginare la conversazione.

ATTIVITÀ 10

PRODUZIONE LIBERA SCRITTA

Scrivi una lettera ad un/una amico/a medico. Sei a letto malato; descrivi i sintomi e racconta la conversazione che hai avuto in farmacia; chiedi consigli. Scrivi liberamente: è importante per il tuo progresso, quindi più scrivi e più progressi fai.

ATTIVITÀ 11

PRODUZIONE LIBERA SCRITTA

Risposta alla lettera dell'attività 10.

Tu sei l'amico/a medico. Leggi la lettera scritta da un altro studente e scrivi la risposta.

ATTIVITÀ 12

Lavora come nell'attività 1 di questa unità.

		VERO	FALSO
1.	Il signore ha mal di gola.	□	□
2.	Il signore ha il raffreddore.	□	□
3.	Il signore ha la febbre.	□	□
4.	Il signore ha dolori muscolari.	□	□
5.	L'aspirina C è troppo forte.	□	□
6.	"RIBELFAN" è troppo forte.	□	□
7.	Le supposte "BISMOCEDINA" si prendono 2 volte al giorno.	□	□
8.	La "TRANSPULMINA" sciroppo si prende 4 volte al giorno.	□	□
9.	Il farmacista dà al signore il VICKS SINEX.	□	□
10.	Il signore compra anche un dentifricio.	□	□
11.	Il signore compra anche dello shampoo.	□	□
12.	Il signore paga 7.300 lire.	□	□

HAI NOTATO ....?

.... l'uso di **STARE + GERUNDIO**

lo **la**	**sto** **sta**	**prendendo** **mangiando**	**da**	tanto tempo due settimane

ecc.

che descrive un'azione in corso iniziata precedentemente

.... la mancanza del verbo in:

meglio	**le supposte** **lo sciroppo**

.... come il **PRONOME** si unisce all'infinito in:

c'è qualche cosa per	**mandarla** **mandarlo** **mandarli**	via?

ecc.

.... l'uso del **PRONOME ne** in:

In questa scatola ce **ne** sono soltanto 6.

LESSICO

provare
consigliare
immaginare
mandare via
scomparire

efficace
forte
insistente

assolutamente
infatti

antibiotico
sintomo
attacco
scatola

15ª unità LAMENTARTI

ATTIVITÀ 1

Lavora come nelle altre unità.

A. 1. L'ospite dell'albergo si lamenta con il receptionist per due motivi. Quali sono questi due motivi? ....

....

2. Il receptionist promette di fare due cose. Quali sono? ....

....

		VERO	FALSO
B. 1.	L'ospite dell'albergo sta entrando.	□	□
2.	Vuole parlare con il direttore.	□	□
3.	Il receptionist non sa niente dei problemi.	□	□
4.	Hanno già cercato un idraulico.	□	□
5.	Il problema esiste da due giorni.	□	□

ATTIVITÀ 2

Lavora come nelle altre unità.

Dà un'informazione **(problemi nella camera).** ***Esprime scontentezza. Racconta*** **ciò che ha fatto ieri (parlare/collega) e il sussistere dei problemi.**	OSPITE: ....
	RECEPTIONIST: **Ma scusi, è il problema dell'acqua?**
Risponde affermativamente. **Specifica (acqua calda/camera).**	OSPITE: ....
	RECEPTIONIST: **Guardi, per quanto ne so io, è stato chiamato l'idraulico, ma evidentemente non è ancora arrivato. Non so che dire.**
Propone **energicamente una soluzione (cambiare camera in caso di mancato arrivo dell'idraulico).**	OSPITE: ....

ATTIVITÀ 3

RIFLESSIONE

Osserva la 4ª battuta dell'attività 2: "... è stato chiamato l'idraulico.....**". Questo è il passivo al passato prossimo. Parlando della direttrice dell'albergo diremmo:** 'E' stata chiamata la direttrice' **e degli operai diremmo:** 'Sono stati chiamati gli operai'. **Scrivi che cosa diremmo parlando delle** "donne delle pulizie".

....

....

ATTIVITÀ 4

ESERCIZIO

Lavora con un compagno. Riprendete parecchie volte la conversazione dell'attività 2 con un problema diverso ogni volta.
Ecco i problemi:

Non funziona il televisore.
Non c'è la luce.
Le lenzuola sono sporche.
Il vetro della finestra è rotto.
La moquette è tutta macchiata.

Scegliete da questa lista la persona chiamata:

elettricista
tecnico
vetraio
donna di servizio

ATTIVITÀ 5

ESERCIZIO

Riscrivi nel tuo quaderno l'articolo sottostante mettendo, quando è possibile, i verbi al passivo. Bada bene: per fare l'esercizio è necessario che tu rifletta bene in quanto dovrai fare dei cambiamenti morfosintattici all'interno delle frasi.

Hanno ucciso in un noto albergo del centro di Napoli il pregiudicato De Angeli di anni 50, noto alla polizia per traffico di droga. La polizia ha arrestato gli uccisori, Franco Morelli, 32 anni e Ciccio Martino, 40 anni, membri del 'clan' della vittima. Prima di spararagli due colpi alla nuca gli assassini hanno messo a soqquadro la stanza dell'ucciso; hanno rovesciato cassetti, alla ricerca forse di droga, hanno sparso documenti e distrutto vari oggetti probabilmente durante una colluttazione. Infine hanno immobilizzato il De Angeli e l'hanno legato. La polizia ha avviato indagini che sconfinano nel mondo politico.

ATTIVITÀ 6

PRODUZIONE LIBERA SCRITTA

Scrivi una lettera ad un amico per raccontare i danni che ti hanno fatto dei ladri. L'inizio e la fine della lettera sono già scritti. Tu devi scrivere sul quaderno il resto. Usa sempre il passivo; usa la fantasia e scrivi il più possibile. In più puoi sfruttare i suggerimenti che sono riportati dopo la fine della lettera.

Caro Corrado,
ieri sera ho avuto i ladri in casa. La porta è stata forzata con attrezzi metallici.
....

.... Ecco, vedi come sto? Non so se vale la pena di denunciarlo alla polizia. Ci devo pensare.
Ciao.

Verbi che puoi usare: rovesciare, rompere, rubare, prendere, strappare, macchiare, aprire, ecc.

Sostantivi che puoi usare: finestra, quadri, vaso, piatti, gioielli, giradischi, soldi, portafoglio, soprammobili, libri, dischi, pianoforte, ecc.

ATTIVITÀ 7

ESERCIZIO

Decidi di andare alla polizia per denunciare il fatto di cui hai scritto nell'attività 6. Lavora con un compagno. Uno di voi farà il poliziotto che batte a macchina la denuncia e l'altro sarà quello che ha subito il furto. Il poliziotto rivolge all'altro le domande che seguono e l'altro deve rispondere sempre al passivo. Il poliziotto scrive le risposte dell'altro. Poi scambiatevi le parti e ripetete.

Come sono entrati i ladri? ....

Che cosa hanno toccato? ....

Hanno rotto qualcosa? ....

Quanti soldi hanno rubato? ....

Hanno rubato altre cose di grande valore? ....

Che cos'altro hanno rubato? ....

Quali altri danni hanno fatto? ....

ATTIVITÀ 8

La conversazione fra il receptionist e l'ospite dell'albergo continua. Lavora come nelle altre unità.

	RECEPTIONIST:	**Adesso riproverò a telefonare all'idraulico.**
Approva l'intenzione dell'altro **e la *sollecita. Esprime le sue intenzioni in caso contrario*** **(parlare/direttore o lasciare/albergo).**	OSPITE:	....
	RECEPTIONIST:	**Lei ha ragione. Ma vede, sono cose che capitano. Ad ogni modo cercherò di risolvere il problema, o, se sarà necessario, parlerò io col direttore.**
Lascia la responsabilità all'altro. *Ribadisce che metterà in atto le sue intenzioni* **(domani mattina) *ad una condizione*** **(mancata riparazione/bagno o soluzione diversa).**	OSPITE:	....
	RECEPTIONIST:	**Guardi, non si preoccupi. Sistemeremo tutta la faccenda in un modo o nell'altro. Vedrà che non avrà più di questi fastidi.**
Esprime speranza. Saluta.	OSPITE:	....
	RECEPTIONIST:	**Buongiorno.**

ATTIVITÀ 9

ESERCIZIO LIBERO SCHERZOSO

Nota come il receptionist nell'attività 8 promette di fare delle cose. Lui usa sempre il futuro. Adesso lavora con un compagno. Immagina scherzosamente che tu lo voglia sposare e per convincerlo devi promettere tante cose (l'altro deve fare il riluttante). Scrivete la conversazione e poi recitatela. Poi scambiatevi le parti.

ATTIVITÀ 10

ESERCIZIO LIBERO SCHERZOSO

Immagina di essere riuscito a convincere il compagno a sposarti. Adesso siete al settimo mese e il matrimonio non ti va più bene per tanti motivi. Nota come esprime le minacce l'ospite dell'albergo nella conversazione dell'attività 8. Lui usa il futuro. Inventate e scrivete una lite furibonda e piena di minacce tra moglie e marito. Ecco alcune parole che possono suggerirvi delle idee:

lasciare, andarsene, tornare, far mangiare, dormire, televisore, amante, polizia, telefonare, tardi, vicini, amare.

ATTIVITÀ 11

Lavora come nell'attività 1 di questa unità. Il signor Rossi, cliente di un albergo, si lamenta di tre cose col receptionist.

A. Mettile in ordine segnando un numero nell'apposita casella:

La confusione nella camera accanto ☐

La pulizia nella camera ☐

La mancata colazione ☐

B. Completa le seguenti frasi:

1. C'è polvere sul .... e sui ....
2. Il signor Rossi è sceso per fare colazione alle ....
3. La colazione si serve normalmente fino alle ....
4. Il numero della stanza accanto è ....
5. Gli ospiti della camera accanto suonano ...., sbattono le ....

..........e .... fino a tarda notte.

ATTIVITÀ 12

Leggi rapidamente e più volte la lettera sottostante.

Lugano, li 14 settembre 19..

Direttore

Agenzia VACANSIEME
Via Durantini, 28
Roma

Egregio Signore,

nonostante gli innumerevoli tentativi già fatti per avere un colloquio con Lei, durante il mio soggiorno in Italia organizzato dalla Sua agenzia, mi trovo costretta a scriverLe una lettera in quanto Lei si è reso sempre irreperibile. Il colloquio che avrei voluto avere con Lei non sarebbe certamente stato amichevole e tanto meno lo sarà questa lettera. Mi permetta di dirLe che non ho mai visto tanta disorganizzazione in una vacanza "organizzata"; a partire dal primo giorno, in cui il "prelievo dall'albergo" è stato con un'ora di anticipo e quasi nessuno ha potuto fare colazione. La partenza per Assisi è stata naturalmente fatta all'ora prevista poiché altri partecipanti sono stati prelevati all'orario stabilito. Conclusione: la sosta a piazza Barberini, prima della partenza, è stata di circa un'ora e mezza. Mi rendo conto, comunque, di non poter descrivere dettagliatamente tutti i disagi in cui mi sono trovata; farei un romanzo! Voglio però enunciarli in modo che possa rendersi conto di quante cose scritte nel programma non sono state rispettate.

Per esempio, non c'è stato tempo per visitare neanche una minima parte della Galleria degli Uffizi. Non so come si possa mettere nel programma di una sola mattinata tutta l'arte di Firenze!

La visita di Venezia a piedi con la "guida" è stata disastrosa: non si può chiamare guida una persona che perde persone del suo gruppo e passa mezza giornata a ritrovarle.

La prevista sosta a Desenzano non è stata fatta. Si era in ritardo!

Il museo Egizio di Torino era chiuso; niente visita.

L'ultimo giorno, proprio percorrendo la Riviera Ligure, si è rotto il pullman e, dulcis in fundo, non abbiamo più visitato Pisa.

Non Le pare, signor Direttore, che una simile vacanza "organizzata" debba costare un po' di meno di quanto Lei fa pagare? Mi appello ad un minimo di onestà! Posso comunque assicurarLe già da ora che non solo non mi vedrà più come Sua cliente ma che non Le farò di certo buona pubblicità.

Sig.ra Ester Paoletti
Via A. Manzoni, 293
Lugano.

Ester Paoletti

Ecco il programma della vacanza di cui si parla nella lettera. Sottolinea le cose per cui la signora Paoletti si lamenta.

1° giorno - Lunedì
Roma/Assisi/Siena/Firenze
Alle ore 8 prelievo dei Signori Partecipanti dagli alberghi prescelti: alle ore 8,30 partenza da Piazza Barberini 1 per Assisi: visita della Basilica di San Francesco, i dipinti di Cimabue e Giotto. Seconda colazione e partenza per Siena, visita della città. Proseguimento per Firenze: pernottamento.

2° giorno - Martedì
Firenze
Mezza pensione in albergo. Al mattino visita della città: Palazzo Vecchio, la Galleria degli Uffizi, Piazzale Michelangelo con vista panoramica della città, il Campanile di Giotto ed il Battistero. Pomeriggio a disposizione.

3° giorno - Mercoledì
Firenze/Ravenna/Padova/Venezia
Dopo la prima colazione partenza per Ravenna, l'antica città imperiale ricca di meravigliosi mosaici bizantini. Visita: la Tomba di Dante, San Vitale, il Mausoleo di Teodorico, Sant'Apollinare in Classe ed il Mausoleo di Galla Placidia. Seconda colazione e proseguimento per Padova: breve sosta sulla Piazza della Basilica del Santo. Partenza per Venezia; arrivo e trasferimento all'albergo. Pernottamento.

4° giorno - Giovedì
Venezia
Mezza pensione in albergo. Al mattino visita a piedi della città con guida: visita della famosa Basilica di San Marco, il Palazzo dei Dogi, il Ponte dei Sospiri. Pomeriggio libero.

5° giorno - Venerdì
Venezia/Verona/Desenzano/Milano
Prima colazione in albergo e partenza per Verona. Arrivo e visita dell'Arena Romana, la Casa di Giulietta e Piazza delle Erbe. Nel pomeriggio dopo la seconda colazione proseguimento per Desenzano, sulla costa del Lago di Garda. Dopo una breve sosta sul lago si procede per Milano. Arrivo, sistemazione in albergo e pernottamento.

6° giorno - Sabato
Milano/Torino/Genova
Dopo la prima colazione si prosegue per Torino, percorrendo l'autostrada. All'arrivo visita del Museo Egizio, uno dei più importanti in Europa, e breve giro della città. Seconda colazione e proseguimento per Genova. Arrivo e pernottamento.

7° giorno - Domenica
Genova/Pisa/Roma
Dopo la prima colazione, percorrendo la Riviera Ligure e l'autostrada, arrivo a Pisa: visita della Cattedrale, del Battistero e della Torre Pendente. Seconda colazione e proseguimento per Roma. Fine dei nostri servizi.

ATTIVITÀ 13

LETTURA INTENSIVA

Vediamo un po' come la signora Paoletti esprime le sue lamentele. Guarda di nuovo la lettera dell'attività 11 e scrivi una lista di gruppi di parole (contenenti un verbo) ognuno dei quali esprime lo stato d'animo di chi scrive.

....

....

....

....

....

....

....

....

....

....

ATTIVITÀ 14

PRODUZIONE LIBERA SCRITTA

Immagina di aver fatto il viaggio organizzato di cui vedi il programma sotto. Non ne sei rimasto soddisfatto. Scrivi sul quaderno una lettera al direttore dell'agenzia organizzatrice per lamentarti di tutte le cose negative del viaggio.

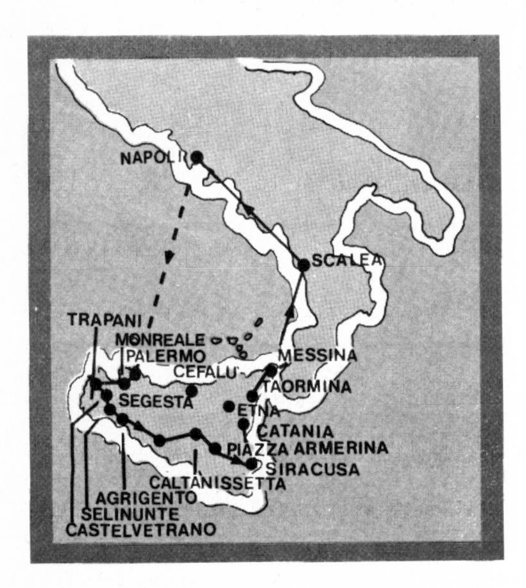

1° giorno: Roma-Napoli
Appuntamento dei Signori Partecipanti a Roma in Via Metaponto n. 6 alle ore 8,45 e partenza per Napoli e Sorrento. 2ª colazione in ristorante. Pomeriggio a disposizione. Alle ore 19 incontro con i Partecipanti in partenza da Napoli, alla stazione marittima Pranzo serale a bordo. Si salpa alle ore 21,30. Pernottamento.
N.B. - Le partenze del 26 dicembre e del 1° aprile prevedono l'inizio del viaggio da Roma alle ore 14,30.

2° giorno: Palermo-Monreale
Arrivo a Palermo alle ore 7. Pensione completa in hotel. Mattina visita della città con guida specializzata. Potremo ammirare Corso Vittorio Emanuele, il Foro Italico, Villa Giulia, l'Orto Botanico, la caratteristica Chiesa di San Giovanni degli Eremiti, il Palazzo dei Normanni con la bellissima Cappella Palatina, la Cattedrale, Quattro Canti e Via Maqueda. Al termine escursione a Monreale. Rientro a Palermo. Nel pomeriggio tempo libero per visite particolari.

3° giorno: Segesta-Selinunte-Agrigento
Prima colazione in hotel. Partenza verso le ore 8 per Segesta, il cui tempio, per la semplicità imponente delle sue linee, assume un aspetto di grandiosità in un ambiente superbamente suggestivo. Arrivo quindi a Selinunte; 2ª colazione in ristorante. Nel pomeriggio visita alla Zona Archeologica. Lo spetacolo che offre il campo desolato delle rovine di Selinunte è indimenticabile. Alla profonda impressione contribuiscono il mare infinito, il pittoresco aspetto africano dei tumuli che ornano la spiaggia e l'indescrivibile colore che il sole siciliano imprime a tutto il paesaggio.
In serata si raggiunge Agrigento. Sistemazione in hotel. Pranzo e pernottamento.

4° giorno: Piazza Armerina-Siracusa
Prima colazione in hotel. Mattina visita di Agrigento con guida specializzata. La visita ci mostrerà innanzitutto il Tempio della Concordia, che per la sua serena maestà e la grazia delle sue linee è il simbolo di Agrigento. Ammireremo inoltre il Tempio di Giove e quello di Castore e Polluce. Al termine raggiungeremo Piazza Armerina. 2ª colazione in ristorante. Nel pomeriggio visita alla Villa Romana del Casale, ricca di grandi mosaici perfettamente conservati. In serata arrivo a Siracusa. Pranzo e pernottamento in hotel.

5° giorno: Siracusa-Catania
Prima e seconda colazione in hotel. Mattina visita della città. Potremo ammirare: le Latomie, l'Anfiteatro di Gerone II, l'Orecchio di Dionisio, grandiosa grotta di 66 m., la Grotta dei Cordari e il teatro Greco davvero imponente. Nel pomeriggio partenza alla volta di Catania. Sistemazione in hotel. Pranzo e pernottamento.

6° giorno: Catania-Taormina
Dopo la 1ª colazione e un giro orientativo della città, si esce da Catania per giungere in breve a Taormina nel superbo scenario dominato dallo Etna. 2ª colazione in hotel. Pomeriggio a disposizione per visitare il Tempio Greco e per passeggiare nelle caratteristiche strade della cittadina. Arrivo in serata a Messina. Cena e pernottamento.

7° giorno: Messina-Napoli-Roma
Partenza dopo la 1ª colazione da Messina. 2ª colazione in percorso. Arrivo a Roma verso le ore 22. (Coincidenze con treni per il nord).

HAI NOTATO ....?

.... l'uso del **FUTURO** per promettere in:
Adesso **riproverò** a telefonare all'idraulico.
Cercherò di risolvere il problema.
Sistemeremo tutta la faccenda.
Vedrà che non **avrà** più di questi fastidi.

.... l'uso del **FUTURO** per minacciare in:
Altrimenti mi **troverò** costretto a lasciare l'albergo.
Se non trovo il bagno riparato le garantisco che domani mattina **lascerò** l'albergo.

.... l'uso della parola **affatto** per rendere assoluto il negativo in:
Non sono **affatto** contento.
Non arriva **affatto** l'acqua calda nella camera.

.... il **SINGOLARE MASCHILE** in **-a**
il problem**a** i problem**i**

LESSICO

un collega
un problema
l'acqua
un idraulico
la cortesia
una soluzione
la faccenda
un fastidio

caldo
diverso

sistemare
riprovare
costringere
aver ragione
capitare
risolvere
riparare
garantire
preoccuparsi

esatto
per quanto
evidentemente
altrimenti
ad ogni modo
in un modo o nell'altro

16ª unità TELEFONARE AD UN NUOVO AMICO

Giorgio telefona al suo nuovo amico Stefano. Vorrebbe incontrarlo. Propone di fare qualcosa insieme la sera.

ATTIVITÀ 1

Lavora come nelle altre unità.

1. **Giorgio offre tre alternative. Mettile in ordine con un numero nell'apposita casella.**

Balletto folcloristico all'Isola Tiberina.	□
Serie di film polizieschi al festival di Massenzio.	□
Una commedia di Plauto al Giardino degli Aranci.	□

2. **Indica se le seguenti affermazioni sono vere o false mettendo una croce nell'apposita casella.**

	VERO	FALSO
a) A Stefano piacciono i balletti folcloristici.	□	□
b) Ceneranno insieme.	□	□
c) Si incontreranno in una piazza.	□	□
d) Giorgio porterà il giornale con sé.	□	□

ATTIVITÀ 2

Lavora come nelle altre unità.

***Indica che sta per parlare e spiega* il perché della telefonata (fare qualcosa insieme).**	GIORGIO:	....
	STEFANO:	**Quando? Stasera?**
Risponde affermativamente.	GIORGIO:	....
	STEFANO:	**Sì, volentieri. Ma a che ora tu pensavi?**
***Indica che non ha una risposta precisa da dare.* Indica che la scelta dell'orario dipende dal loro programma comune.**	GIORGIO:	....
	STEFANO:	**Ma tu hai pensato a qualcosa?**
***Indica che non ha una risposta precisa da dare. Esprime un desiderio* (stare all'aperto), *spiega la ragione* (caldo). Indica che i programmi della città permettono di esaudire il suo desiderio.**	GIORGIO:	....

ATTIVITÀ 3

Lavora con un compagno.

Immaginate che Stefano non possa uscire. Scrivete la conversazione dell'attività 2 come viene modificata da questo nuovo elemento.

ATTIVITÀ 4

DETTATO

Lavora come nelle altre unità.

GIORGIO: .... **una** ...., **Stefano. Tanto ormai** .... **c'è** .... **tempo** .... **comprare i** .... **. Fissiamo** .... **appuntamento** .... **una** .... **ora** .... **poi** .... **che** .... **fare.**

STEFANO: .... **. Va** .... **.**

GIORGIO: .... **dimmi** ....**, perché io** .... **quello** .... **ha meno** .... **dei** ....**. Dalle** .... **sono libero.**

STEFANO: **Sì.** ....**, potremmo** .... **con** .... **tua macchina anziché** .... **la** ....**? Perché** .... **mia** .... **funziona** .... **bene.**

GIORGIO: **Sì** ....**. Non** .... **problema. Allora** .... **vengo** .... **prendere.**

STEFANO: ....**. Alle** .... **va** ....**?**

ATTIVITÀ 5

Leggete rapidamente e molte volte il programma di spettacoli estivi sottostante.

MASSENZIO 80

La rassegna principale, quella che occupa lo spazio piú grande (quasi tremila posti) è dedicata al « Cinema italiano degli anni '70 », durerà 32 giorni dal 7 agosto al 7 settembre e le proiezioni avranno luogo nella sala allestita al *Foro romano*.

Le altre rassegne (dal 7 agosto al 6 settembre) sono dislocate e suddivise in altri due spazi, limitrofi al Foro romano: *via del Tulliano* (fino alle 23,30: cartoni animati, con i personaggi piú famosi, da Topolino a Mazinga; e tutte le sere alle 24: « I film di mezzanotte » — 30 film, per lo piú americani, in versione italiana — rarità, classici dell'avventura, film neri, curiosità della serie B).

Piazza della Consolazione: spazio cineclub, con quattro rassegne curate da quattro associazioni culturali romane. L'Officina (« Sotto le stelle di Hollywood » — dieci rarissimi 'cult movies' hollywoodiani in versione originale e senza sottotitoli italiani); il Politecnico (« Il cinema della guerra civile spagnola » — in anteprima una serie di corto e lungometraggi girati in Spagna durante i tre anni della guerra civile); Centro St. Louis (« That old jazz » — una raccolta di filmati inediti sui e con i piú prestigiosi jazzisti americani dagli anni '30 in poi); Il Filmstudio (« Underground italiano » — una raccolta dei piú importanti esponenti del cinema sperimentale e indipendente italiano dal '65 al '79).

Inoltre, altri due punti di proiezione sono stati allestiti al *Clivo di Venere Felice* (di fronte al Colosseo) e sull'*Isola Tiberina*. Al Clivo dal 24 agosto al 4 settembre verrà proiettata una serie di materiali cinematografici sull'arte di Maria Callas — concerti, apparizioni televisive, brani di opere, interviste. Questa manifestazione è stata curata dall'AIACE e da L'Occhio, L'Orecchio, La Bocca.

Sull'isola Tiberina dal 26 agosto al 6 settembre, organizzata da L'Occhio, L'Orecchio, La Bocca, ci sarà una rassegna intitolata: « Lo schermo d'acqua », con proiezioni contemporanee su 11 schermi di materiali cinematografici appartenenti al 'cinema oltre il film': il cinema delle origini, le innovazioni di Griffith, il cinema fatto dai bambini, i registi sul set, le scene inedite italiane, la pubblicità cinematografica, la produzione commerciale giapponese, la memoria televisiva, il fotoromanzo, la storia del cinema in 180 minuti.

Completano Massenzio '80: 3 veri e propri avvenimenti musicali (« Non tutto ma di tutto »; il « Consolationes ensemble »; dodici serenate al Foro; « Musica disumana », che vedrà la partecipazione di Iannis Xenakis, Joseph Anton Riedl, David Tudor e Lowell Cross); un laser che tutte le sere costruirà e inventerà giochi di luci e di colori sul cielo di Massenzio; e una raccolta di 116 figurine degli attori e delle attrici del cinema italiano degli anni '70. Ogni sera ne verranno distribuite 12 e, grazie agli scambi di doppioni, dovrebbe essere possibile, per chi è interessato, completare la collezione.

Questi sono i dati di base, per maggiori informazioni rimandiamo ai programmi dettagliati delle singole rassegne, e per quanto riguarda l'interesse e il divertimento che questi dati possono suggerire, per verificarli e viverli, non rimane altro che partecipare in prima persona a « MASSENZIO '80 ».

ATTIVITÀ 6

PRODUZIONE LIBERA SCRITTA

Immagina di stare a Roma, e scrivi ad un amico che abita in un altro posto. Invitalo a venire a trovarti e per invogliarlo raccontagli tutte le cose che potreste fare insieme. La lettura dell'attività 5 può suggerirti delle idee.

ATTIVITÀ 7

Lavora come nelle altre unità.

Sentirai un'intervista alla radio. La conduttrice della rubrica all'inizio dice:

"Per la nostra rubrica dedicata ai problemi della scuola vorremmo trattare, oggi, l'insegnamento delle lingue straniere; settore, questo, da molto tempo problematico. Abbiamo come ospite il professor Giorgio Piva, direttore degli studi di una scuola di lingue....„

Se hai un dizionario a disposizione assicurati di capire queste parole:

metodologico
approccio
ricerca
impostazione
sistema grammaticale, fonologico
lessico
uso
didattico

Ascolta parecchie volte la registrazione e prendi degli appunti sul quaderno di ciò che capisci.

RIASSUNTO GRAMMATICALE

I VERBI

A. PRESENTE INDICATIVO - VERBI IRREGOLARI

VENIRE		*DIRE*		*USCIRE*		*BERE*	
vengo	**veniamo**	**dico**	**diciamo**	**esco**	**usciamo**	**bevo**	**beviamo**
vieni	**venite**	**dici**	**dite**	**esci**	**uscite**	**bevi**	**bevete**
viene	**vengono**	**dice**	**dicono**	**esce**	**escono**	**beve**	**bevono**

B. PASSATO PROSSIMO - VERBI CON PARTICIPI PASSATI IRREGOLARI

LEGGERE: Ho **letto** il giornale stamattina.
APRIRE: Non ha ancora **aperto** la lettera.
METTERE: Che bel vestito hai **messo!**
SCRIVERE: Non mi hanno ancora **scritto.**
VENIRE: Ma tu sei **venuto** alla festa?
VIVERE: Piero ha **vissuto** in Francia.

C. PASSIVO AL PASSATO PROSSIMO

Io sono stato/a ingannato/a
Tu sei stato/a denunciato/a
Il libro è stato pubblicato
La lettera è stata scritta

Noi siamo stati/e trasferiti/e
Voi siete stati/e avvertiti/e
I ladri sono stati arrestati
Le porte sono state forzate

D. CONGIUNTIVO PRESENTE

ESSERE

Molti pensano che io **sia** italiano
Spero che tu **sia** libero stasera.
Penso che Mario **sia** al cinema.
Loro sperano che noi **siamo** pronti.
Credo che voi **siate** sull'autobus giusto.
Credo che Stefano e Maria **siano** sposati.

AVERE

La polizia crede che io **abbia** la residenza.
Credo che tu **abbia** ragione.
Spero che Rita non **abbia** freddo.
Stefano pensa che noi non **abbiamo** questo diritto.
Immagino che voi **abbiate** fretta.
Penso che loro **abbiano** la macchina.

TEST

1. Completa questa conversazione scrivendo in ogni spazio con puntini la parola appropriata. Parlano due colleghi: uno che sta andando via dopo un periodo a Roma e l'altro che è appena arrivato per trascorrere anche lui un periodo a Roma.

A. Non ti troverai male, vedrai. Certo, qualche volta ti troverai in situazioni a cui non sei abituato come è successo a me, per esempio quando sono arrivato. .... andato nell'albergo dove avevo .... e non trovavano il mio ....

B. E allora?

A. Niente. .... risolto poco dopo dandomi una .... provvisoria. Poi, dopo alcuni ...., mi sono dovuto lamentare perché .... arrivava l'acqua calda.

B. Problemi .... organizzazione, quindi.

A. Ecco. Sì. Poi, magari, se hai qualche problema, si danno da fare, invece, per aiutarti. Io, per esempio, ... stato male, per un po' .... tempo, e siccome non conoscevo nessun dottore sono .... in farmacia. Sono .... molto gentili. Si sono messi a .... con me, a .... che cosa dovevo prendere, come dovevo .... ecc., ecc.. Anche quando sono .... in banca; l'impiegato ha perso .... tempo con me. Oppure, se per .... strada hai bisogno di informazioni .... la persona a cui hai .... non può aiutarti, è la .... stessa che si preoccupa di .... ad un altro.

B. I lati .... sono compensati da una certa umanità .... si trova nella gente, allora?

A. Direi di sì. E poi .... volta che avrai tempo .... bellissimo visitare la città. Non tanto per .... i monumenti e posti ormai d'obbligo .... la Basilica di San Pietro, l'Altare della Patria (che poi .... è per niente bello, secondo ....) o il Pantheon; queste .... le prime cose che generalmente uno ...., forse tutte insieme, e per .... possano piacere non impressioneranno mai come .... angolo di Roma, non famoso forse, ... dove senti l'atmosfera .... città, lo spirito della gente che ..... anima. Roma è bella, io ...., non soltanto perché possiede .... esempi d'arte, ma .... per un insieme .... fattori diversi: la gente che ci ...., una certa filosofia della vita, ... contraddizioni, una strana mescolanza di antichità e .... Insomma io la trovo affascinante .... tutte queste cose.

2. Scrivi una lettera ad un amico/a italiano/a raccontandogli/le quello che hai fatto ultimamente e invitandolo/la a passare qualche giorno a casa tua, nella tua città. La lettera deve essere lunga circa una pagina.